MAUS

OPOWIEŚĆ OCALAŁEGO

MAUS

OPOWIEŚĆ OCALAŁEGO

I
MÓJ OJCIEC KRWAWI HISTORIĄ

II
I TU SIĘ ZACZĘŁY MOJE KŁOPOTY

art spiegelman

Tłumaczenie: Piotr Bikont

Prószyński i S-ka

Podziękowania dla Kena i Flo Jacobs, Ernie Gehr, Paula Pavela, Louise Fill i Stevena Hellera, których uznanie i wsparcie moralne pomogło tej książce przyjąć obecny kształt.

Podziękowania dla Mali Spiegelman za pomoc w tłumaczeniu polskich książek i tekstów i za to, że chciała, by Maus powstał.

Także podziękowania dla Françoise Mouly za jej inteligencję, rzetelność, zdolności edytorskie oraz za jej miłość.

Scenariusz i rysunki: Art Spiegelman

Tłumaczenie: Piotr Bikont

Redaktor prowadzący: Wojciech Szot
Asystent redaktora prowadzącego: Jan Mazur
Transkrypcja: Natalia Zaborniak

Łamanie i dodatkowe liternictwo: Alina Machała | Dymkołamacze
Skład: Jarek Obwiążanek | Dymkołamacze

Tytuł oryginału: *The Complete Maus*

MAUS: *A Survivor's Tale: My Father Bleeds History*
Copyright © 1973, 1980, 1982, 1983, 1984, 1985, 1986, Art Spiegelman
All rights reserved

MAUS II: *A Survivor's Tale: And Here My Troubles Began*
Copyright © 1986, 1989, 1990, 1991 Art Spiegelman
All rights reserved

Copyright © for Polish edition by Prószyński Media Sp. z o.o., 2016
Copyright © for translation by Piotr Bikont, 2016
wydanie drugie

Wydawca:
Prószyński Media Sp z o.o.
ul. Rzymowskiego 28
02-697 Warszawa

Druk i oprawa: Pozkal

ISBN: 978-83-8234-013-6

Wydawca wyraża wdzięczność twórcom i twórczyniom, którzy przyczynili się do pierwszych wydań Mausa w Polsce.

Od tłumacza

Czytając kwestie starego Władka Szpigelmana można ulec wrażeniu, iż zostały one zniekształcone w przekładzie. Jeśli jednak czytelnik zaufa tłumaczowi, dostrzeże łatwo, że sposób mówienia stanowi tutaj zamierzony, istotny element charakterystyki głównego bohatera.

Art i Władek Spiegelmanowie rozmawiają ze sobą po angielsku. Syn jest wykształconym Amerykaninem, ale dla ojca jest to już co najmniej czwarty kolejny język. Dlatego też, jak wielu emigrantów, zniekształca do pewnego stopnia angielską mowę. Powstaje tu poważny problem translatorski, i to zwłaszcza przy opracowaniu wersji polskiej, bo przecież Władek Szpigelman, chłopak z Częstochowy, mówił po polsku doskonale. Tłumacz nie może tu tworzyć nowego, sztucznego żargonu, ale musi tę cechę postaci zachować. Mógłby to być styl Amerykanina, który się uczy polskiego, ale chyba lepiej widzieć we Władku przede wszystkim polskiego Żyda.

Piotr Bikont

DLA ANDZI

MÓJ OJCIEC KRWAWI HISTORIĄ

(OD POŁOWY LAT 1930. DO ZIMY 1944)

SPIS TREŚCI

Żydzi bez wątpienia są rasą,
ale nie ludzką.

Adolf Hitler

Pojechałem do Rego Park odwiedzić ojca. Nie widziałem się z nim już od dawna – nie byliśmy ze sobą zbyt blisko.

TATKO!

AJ, ARTIE, TY SIĘ SPÓŹNIŁEŚ. JA JUŻ SIĘ DENERWOWAŁEM.

SZKODA, ŻE FRANÇOISE NIE PRZYJECHAŁA.

MHM, KAZAŁA CIĘ POZDROWIĆ.

Mocno się postarzał, odkąd go ostatnio widziałem. Samobójstwo matki i jego dwa zawały zrobiły swoje.

MALA! TY TYLKO PATRZ, KTO PRZYJECHAŁ! **ARTIE!**

Ożenił się powtórnie. Mala znała moich rodziców jeszcze z Polski, sprzed wojny.

Ona też była jedną z ocalałych, jak większość znajomych moich rodziców.

WITAJ, ARTIE. DAJ, PO-WIESZĘ TWÓJ PŁASZCZ.

OBIAD NA STOLE.

ACHH, MALA!

TY JEMU DAJESZ **DRUCIANY** WIESZAK! A JA JEGO PRAWIE DWA LATA NIE WIDZIAŁEM. MY MAMY PEŁNO **DREWNIANYCH** WIESZAKÓW.

Nie układało im się ze sobą.

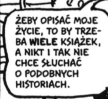

ZE MNIE WTEDY BYŁ MŁODY, NAPRAWDĘ MIŁY I PRZYSTOJNY CHŁOPAK.

LATAŁO NA MNIE MNÓSTWO DZIEWCZĄT, CHOĆ JA SAM NAWET O TYM NIE WIEDZIAŁEM.

DZZYŃ

HALO, WŁADEK? TU JULEK...

MOJA ZNAJOMA, LUSIA GRYNBERG, CHCIAŁABY CIĘ POZNAĆ.

SZEJK

FILM

LUDZIE ZAWSZE MÓWILI, ŻE JA BARDZO WYGLĄDAM NA RUDOLFA VALENTINO.

TAK CZY OWAK, POSZLIŚMY Z LUSIĄ NA TAŃCE...

MIESZKASZ SAM?

TAK.

MAM MAŁE MIESZKANKO, MOI RO-DZICE PRZENIEŚLI SIĘ DO SOSNOWCA.

CHCIAŁABYM JE KIEDYŚ OBEJRZEĆ.

MOŻE KIEDYŚ.

19

SPOTKALIŚMY SIĘ WSZYSCY NA DRUGI DZIEŃ RANO. CHWILAMI MOJA KUZYNKA I ANDZIA MÓWIŁY ZE SOBĄ PO ANGIELSKU.

HOW YOU LIKE HIM?

HE'S A HANDSOME BOY AND SEEMS VERY NICE.

NIC NIE WIEDZIAŁY, ŻE JA WSZYSTKO ROZUMIEM.

CÓŻ, OBIECAŁAM WCZEŚNIE WRÓCIĆ DO DOMU... ZOSTAWIAM WAS SAMYCH.

WIESZ, LEPIEJ UWAŻAĆ Z TYM ROZMAWIANIEM PO ANGIELSKU – TEN „OBCY" MOŻE ZROZUMIEĆ.

Z-ZNASZ ANGIELSKI?

NAUCZYŁEŚ SIĘ W SZKOLE?

JAK MIAŁEM 14 LAT, MUSIA-ŁEM RZUCIĆ SZKOŁĘ I PÓJŚĆ DO PRACY.

...ALE BRAŁEM PRYWATNE LEKCJE... ZAWSZE MARZYŁEM ŻEBY WYJECHAĆ DO AMERYKI.

JAKA SZKODA, ŻE TAK SZYBKO MUSISZ WRACAĆ DO CZĘSTO-CHOWY.

TAK, ALE MUSZĘ PILNOWAĆ INTERESÓW.

CZY MASZ W DOMU TELEFON?

ONA ZARAZ ZADZWONIŁA – POTEM TO ROZMA-WIALIŚMY JUŻ CODZIENNIE, CZASAMI NAWET I DWA RAZY.

A POTEM ONA ZACZĘŁA MI TAKIE PIĘKNE LISTY PISAĆ - CHYBA NIKT NIE UMIAŁ PISAĆ PO POLSKU RÓWNIE JAK ONA.

KILKA RAZY JEŹDZIŁEM DO NIEJ Z WIZYTĄ. PRZYSŁAŁA MI SWOJE ZDJĘCIE.

KUPIŁEM ELEGANCKĄ RAMKĘ...

PRZESZEDŁ MOŻE TYDZIEŃ, AŻ ZNÓW POJA- WIŁA SIĘ LUSIA I ZOBACZYŁA ZDJĘCIE.

MAM ZAMIAR SIĘ Z NIĄ ZARĘCZYĆ, LUSIU.

PSZSZ! PATRZCIE TYLKO, JAKA PIĘKNOŚĆ SOBIE WYBRAŁ.

WYGLĄD TO NIE WSZYSTKO, LUSIU. MYŚLĘ, ŻE LEPIEJ BĘDZIE DLA NAS OBOJGA, JEŚLI PRZESTANIESZ TU PRZYCHO- DZIĆ...

...KAŻDE Z NAS MUSI SOBIE ZAPLA- NOWAĆ PRZYSZŁOŚĆ I-

ZAPOMNIJ O NIEJ! POZWÓL, ŻEBYM JA CI DAŁA SZCZĘŚCIE.

TO NIE BYŁO BARDZO ŁATWO UWOLNIĆ SIĘ OD LUSI.

21

ZYLBERBERGOWIE MIELI POŃCZOSZNICZĄ FABRYKĘ – JEDNĄ Z NAJWIĘKSZYCH W POLSCE... ALE JA, KIEDY PRZYSZEDŁEM, TO PRZYJMOWALI MNIE JAK KRÓLA.

WITAJ, WITAJ.

ANDZIU – PRZY-SZEDŁ WŁADEK!

ROZGOŚĆ SIĘ, A JA PÓJDĘ POMÓC PRZY KOLACJI.

ŻEBY SPRAWDZIĆ, JAKA Z ANDZI GOSPODYNI, JA ZAGLĄDAŁEM W JEJ SZAFĘ.

WSZYSTKO RÓWNO I PORZĄDNIE POUKŁA-DANE, DOKŁADNIE TAK JAK LUBIĘ!

ALE CO TO – PIGUŁKI?!

JA ZAPISAŁEM KAŻDĄ FIOLKĘ.

JAK ONA JEST CHORA, TO NA CO MI TAKI KŁOPOT?

PODANO DO STOŁU!

PÓŹNIEJ MNIE MÓJ ZNAJOMY APTEKARZ WYJAŚNIŁ, ŻE ANDZIA BIERZE PIGUŁKI NA TO, ŻE JEST CHUDA I NERWOWA.

WŁADKU, MOŻE JESZCZE KA-WAŁECZEK GEFILTE FISZ?

NO I TAK, ŻEBY SIĘ DŁUGO NIE ROZWODZIĆ, MY POD KONIEC 1936 SIĘ ZARĘCZYLIŚMY I JA SIĘ PRZENIOSŁEM Z CZĘSTOCHOWY DO SOSNOWCA.

ACH! JA ZAPOMNIAŁEM POWIEDZIEĆ, CO SIĘ WYDARZYŁO, ZANIM SIĘ JESZCZE PRZENIOSŁEM DO SOSNOWCA, ALE JUŻ PO NASZYM ZARĘCZENIU.

JEDNEGO WIECZORA KTOŚ U MNIE ZADZWONIŁ DO DRZWI...

LUSIA

A TY CO TUTAJ ROBISZ? JA WŁAŚNIE WYCHODZIŁEM.

J-JA PÓJDĘ Z TOBĄ.

NIE, NIE MOŻESZ ZE MNĄ PÓ...

PROSZĘ CIĘ, WŁADEK!

PADŁA NA PODŁOGĘ I MOCNO SIĘ PRZYCZEPIŁA DO MOJEJ NOGI.

NIE UCIEKAJ!

ZROZUMIAŁEM, ŻE SPRAWY MIĘDZY NAMI ZASZŁY ZA DALEKO.

BAM!

POBIEGŁEM DO ZNAJOMEGO, CO NAS SOBIE KIEDYŚ PRZEDSTAWIŁ. ON PRZYSZEDŁ JĄ USPOKOIĆ I ZAPROWADZIŁ DO DOMU.

LUSIA WIĘCEJ JUŻ NA MNIE NIE NACHODZIŁA – ALE TAKŻE I ANDZIA PRZESTAŁA SIĘ ODZYWAĆ...

ŻADNYCH TELEFONÓW, ŻADNYCH LISTÓW, *NIC*! CO TO SIĘ STAŁO?

HALO! PANI ZYLBERBERG? CZY MOGĘ MÓWIĆ Z ANDZIĄ?

MÓWI, ŻE NIE CHCE Z TOBĄ ROZMAWIAĆ.

ALE CZEMU?

DOSTAŁA LIST OD KOGOŚ Z CZĘSTO-CHOWY. MÓJ *BOŻE*! TAM SĄ O TOBIE NAPISANE SAME NAJGORSZE RZECZY!

CÓŻ, NIE DAM RADY PRZEKONAĆ JEJ PRZEZ TELEFON. PRZYJADĘ POCIĄGIEM W PIĄTEK PO PRACY.

NIE BYŁO ŻADNE ŚWIĘTO, ALE TAK CZY OWAK JA POJECHAŁEM DO SOSNOWCA.

NO WIĘC POWIEDZ MI, ANDZIU – CO JA TAKIEGO STRASZNEGO ZROBIŁEM?

SAM DOBRZE WIESZ – PRZECZYTAJ SOBIE *TO*!

ALE TO, CO JA CI TERAZ OPOWIEDZIAŁEM – O LUSI I TAK DALEJ – JA BYM NIE CHCIAŁ, ŻEBYŚ TY TO PISAŁ DO SWOJEJ KSIĄŻKI.

CO? CZEMU NIE?

TO NIE MA NIC DO CZYNIENIA Z HITLEREM, ANI Z ZAGŁADĄ!

ALE TATO – TO WSPANIAŁY MATERIAŁ. TO BARDZIEJ UREALNIA WSZYSTKO – CZYNI BARDZIEJ LUDZKIM.

CHCĘ OPOWIEDZIEĆ TWOJĄ HISTORIĘ TAK, JAK WSZYSTKO SIĘ NAPRAWDĘ WYDARZYŁO.

ALE TO NIE WY-PADA, TO JEST NIEODPOWIEDNIE.

...JA CI MOGĘ POWIEDZIEĆ INNE HISTORIE, ALE MOJE SPRAWY TAKIE PRYWATNE, TO JA NIE CHCĘ, ŻEBYŚ PISAŁ.

DOBRZE, DOBRZE – PRZYRZEKAM.

27

Przez następnych kilka miesięcy dość regularnie jeździłem do ojca słuchać jego opowieści.

A Z KOLEI MAMA...

...11... 12... 13...

EE... CO TY ROBISZ, TATO?

JA ODDZIELAM MOJE PIGUŁKI NA CODZIENNE PORCJE.

...14... 15...

...16... 17... 18...

AŻ TAK DUŻO?

MAM TU SZEŚĆ PIGUŁEK SERCOWYCH, JEDNĄ CUKRZYCOWĄ... I JAKIEŚ OKOŁO 25 DO 30 WITAMIN.

Z MOIM STANEM, JA SIĘ MUSZĘ JAKOŚ RATOWAĆ. LEKARZE, ONI TYLKO MNIE KARMIĄ ŚMIECIAMI...

...JA TAK LUBIĘ MÓWIĆ NA TE WSZYST-TKIE LEKI NA RECEPTĘ. PISZĄ O TYM W MAGAZYNACH... MOŻE CHCESZ POOGLĄDAĆ?

NIE, DZIĘKUJĘ.

A Z KOLEI MAMA – CZY MIAŁA JAKICHŚ CHŁOPCÓW, ZANIM CIĘ POZNAŁA?

NIC ROMANTYCZNEGO... ALE BYŁ JEDEN WYSOKI CHŁOPAK Z WARSZAWY.

ON BYŁ... KOMUNISTĄ!

NAWET KIEDY JUŻ BYŁO PO ŚLUBIE, JAK ON PRZYJEŻDŻAŁ DO SOSNOWCA TO ANDZIA CIĄGLE BIEGŁA, ŻEBY SPOTKAĆ SIĘ Z NIM.

OCZYWIŚCIE, JA NIE MIAŁEM POJĘCIA, ŻE ON JEST KOMUNISTĄ. JA **ZAWSZE** TRZYMAŁEM SIĘ W ODDALI OD KOMUNISTÓW.

NIEDŁUGO PO ŚLUBIE, JA WRACAŁEM DO DOMU Z INTERESOWEJ PODRÓŻY...

HEJ, WŁADEK – WŁAŚNIE ARESZTOWALI KRAWCOWĄ Z WASZEGO PIĘTRA!...

ZNALEŹLI U NIEJ TAJNE DOKUMENTY KOMUNISTYCZNE!

A JAK POSZEDŁEM NA GÓRĘ,...

POLICJA WŁAŚNIE ARESZTO... HE? CO SIĘ DZIEJE?

POLICJA BYŁA **TUTAJ!**

ONI PYTALI O ANDZIĘ!

WŁAŚNIE SIĘ NAM PRZYZNAŁA.

TEN CHŁOPAK Z WAR- SZAWY PRZYWOZI MATERIAŁY KO- MUNISTYCZNE.

ONA TO TŁUMACZY NA NIEMIECKI I PRZESYŁA DALEJ!

ANDZIA BYŁA ZAMIESZANA W *KONSPIRACJI!*

KRÓTKO ZANIM PRZYSZŁA POLICJA, ONA DOSTAŁA OSTRZEGAJĄCY TELEFON OD PRZYJACIÓŁ...

PODEJRZEWAJĄ CIĘ! SZYBKO UKRYJ PAPIERY! ALE TO WAŻNE DOKUMENTY – POSTARAJ SIĘ ICH NIE ZNISZCZYĆ.

CO ROBIĆ? ONA POBIEGŁA DO KRAWCOWEJ, CO BYŁA JEDNĄ Z NASZYCH LOKATORÓW.

PANI STEFAŃSKA – *BŁAGAM!* NIECH PANI PRZECHOWA MI TĘ PACZKĘ – I NIECH PANI *NIKOMU* O TYM NIE MÓW!

ANDZIA BYŁA STAŁĄ KLIENTKĄ, TO KRAWCOWA SIĘ ZGODZIŁA.

POLICJA SZCZEGÓŁOWO OBSZUKAŁA NAM CAŁE MIESZKANIE. U NAS ZNALEŹLI NIC, NO WIĘC POSZLI DO SĄSIADÓW.

NO DOBRZE – SKĄD PANI MA TĘ PACZKĘ?

PIERWSZY RAZ WIDZĘ TO NA OCZY – MUSIAŁ ZOSTAWIĆ KTOŚ Z MOICH KLIENTÓW!

ANDZIA BYŁA BEZPIECZNA, ALE TĘ KRAWCOWĄ TO ONI ZAMKNĘLI.

JAK SIĘ DOWIEDZIAŁEM O TEJ CAŁEJ HISTORII, TO JA BYŁEM GOTÓW URWAĆ NASZE MAŁŻEŃSTWO.

POWIEDZIAŁEM: „ANDZIU, TY JAK CHCESZ BYĆ ZE MNĄ, TO TY MUSISZ ROBIĆ PO MOJEMU..."

„...A JAK TY WOLISZ TWOICH KOMUNISTYCZNYCH PRZYJACIÓŁ, TO JA W TYM DOMU MIEJSCA NIE MAM!"

ALE ONA BYŁA DOBRĄ DZIEWCZYNĄ, OCZYWIŚCIE URWAŁA Z TYM WSZYSTKIM.

NO, A CO SIĘ STAŁO Z TĄ KRAWCOWĄ?

PANI STEFAŃSKA PRZESIEDZIAŁA W WIĘZIENIU NA DŁUŻSZY CZAS – MOŻE ZE TRZY MIESIĄCE.

ALE NIE MIELI DO NIEJ DOŚĆ DOWODÓW I W KOŃCU JĄ WYPUŚCILI.

TEŚĆ ZAPŁACIŁ ADWOKATÓW I DAŁ TEŻ TROCHĘ PIENIĘDZY DLA TEJ KOBIETY – W SUMIE JAKIEŚ PIĘTNAŚCIE TYSIĘCY ZŁOTYCH.

A TO BYŁO DUŻO, CO?

JA, ALE TO NIE WSZYSTKO. ON DLA NAS ROBIŁ WTEDY NAWET JESZCZE WIĘCEJ...

WIESZ, WŁADEK, KIEDY WY Z ANDZIĄ DACIE MI WNUKA, TO JA CHCIAŁBYM, ŻEBY ON BYŁ ZABEZPIECZONY FINANSOWO.

CÓŻ, CO ZAROBIŁEM JAKO KOMIWOJAŻER, WYSTARCZY JUŻ NA ZAŁOŻENIE SKLEPU Z TEKSTYLIAMI...

SKLEPU? FUJ! TY POWINIENEŚ MIEĆ TEKSTYLNĄ FABRYKĘ!

TO BY MUSIAŁO KOSZTOWAĆ MAJĄTEK!!

PROSZĘ CIĘ – JA CI MOGĘ DAĆ PIENIĄDZE I OLBRZYMI KREDYT.

OTWORZYŁEM FABRYKĘ W BIELSKU I JEŹDZIŁEM DO ANDZI NA KAŻDY WEEKEND.

W PAŹDZIERNIKU 1937, KIEDY FABRYKA PRACOWAŁA JUŻ NA PEŁNEJ PARZE, URODZIŁ SIĘ MÓJ PIERWSZY SYN, RYSIU.

TO DUŻY DZIECIAK – PONAD 3 KILO.

MÓJ BOŻE, A ANDZIA WAŻY ZALEDWIE 39!

OCZYWIŚCIE, TY GO NIGDY NIE ZDĄŻYŁEŚ ZNAĆ. ON NIE PRZEŻYŁ WOJNY.

TAK, JA WIEM...

ALE ZARAZ – WYŚCIE SIĘ POBRALI W LUTYM, A RYSIU URODZIŁ SIĘ W PAŹDZIERNIKU – CZY TO ZNACZY, ŻE BYŁ WCZEŚNIAKIEM?

TAK, TROCHĘ...

ALE TY – JAK TY SIĘ URODZIŁEŚ, PO WOJNIE – Z CIEBIE TO DOPIERO BYŁ WCZEŚNIAK. LEKARZE MYŚLELI, ŻE TY NIE PRZEŻYJESZ.

JA ZNALAZŁEM SPECJALISTĘ I ON CIĘ URATOWAŁ... MUSIAŁ CI ZŁAMAĆ RĘKĘ, ŻEBY CIĘ MOŻNA BYŁO WYCIĄGNĄĆ OD ANDZI Z BRZUCHA!

I JAK TY BYŁEŚ NIEMOWLĘ, TO TA RĘKA ZAWSZE CI SKAKAŁA DO GÓRY, O TAK!

DO ŚMIECHY MÓWILIŚMY NA CIEBIE HEIL HITLER!

SIŁĄ MYŚMY CI SKRĘCALI TĘ RĘKĘ NA DÓŁ, A TY ZAWSZE... UPS!

NO I POPATRZ, CZEGO JA PRZEZ CIEBIE NAROBIŁEM!

PRZEZE MNIE? NO DOBRZE, PRZELICZĘ JE PÓŹNIEJ.

O NIE! TY NIE MASZ NIC POJĘCIA O LICZENIU PIGUŁEK. JA SAM TO POTEM ZROBIĘ. TO MOJA SPECJALIZACJA.

34

NO WIĘC... ANDZIA ZOSTAŁA Z RODZICAMI, A JA SIĘ PRZENIOSŁEM DO BIELSKA, ŻEBY PILNOWAĆ FABRYKĘ I SZUKAĆ DLA NAS MIESZKANIE...

ALE NIEDŁUGO PRZYSZEDŁ TELEFON Z SOSNOWCA...

WŁADEK? WRACAJ ZARAZ DO DOMU – ANDZIA JEST CHORA!

ONA SIĘ ZAPŁAKAŁA, KIE-DY JA TYLKO WSZEDŁEM...

CO SIĘ STAŁO, KO-CHANIE?

UHU

NIEWAŻNE... NIC NIE JEST WAŻNE.

ALE POWIEDZ, DLACZEGO PŁACZESZ?

SAMA NIE WIEM! MAM DOBRĄ RODZINĘ, UDANEGO SYNA... POWINNAM BYĆ SZCZĘŚLIWA...

ALE CO MI Z TEGO. PO PROSTU NIE CHCE MI SIĘ ŻYĆ.

MASZ, SKARBIE. WYPIJ TO I ODPRĘŻ SIĘ.

JA NIE ROZUMIEM, O CO CHODZI?

PORÓD BYŁ ZBYT WIELKIM WYSIŁKIEM. PRZY JEJ SKŁONNOŚCI DO HISTERII I DEPRESJI... ZAŁAMAŁA SIĘ NERWOWO!

PROSZĘ.

DOKTOR ZALECIŁ WYJAZD DO SANATORIUM.

...ALE KTOŚ MUSI Z NIĄ POJECHAĆ... KTOŚ, KOMU ONA UFA.

WSZYSTKO JUŻ JEST ZAŁATWIONE – DZIECKO ZOSTANIE TUTAJ Z GUWERNANTKĄ.

...A JA POPILNUJĘ CI FABRYKI.

UHU

WYJECHALIŚMY BEZ ZWLEKANIA. TAMTO SANATORIUM, JEDNO Z NAJDROŻSZYCH I NAJPIĘKNIEJSZYCH NA ŚWIECIE, ZNAJDOWAŁO SIĘ NA TERENIE CZECHOSŁOWACJI.

JA PAMIĘTAM, MY JUŻ BYLIŚMY PRAWIE NA MIEJSCU, POCIĄG PRZEJEŻDŻAŁ PRZEZ MAŁĄ STACJĘ.

AJ!

WSZYSCY – KAŻDY ŻYD W POCIĄGU – WPATRZYLI SIĘ NAGLE Z PODNIECENIEM I W PRZERAŻENIU.

PATRZCIE!

BYŁ POCZĄTEK ROKU 1938 – JESZCZE ZANIM BYŁA WOJNA – NA SAMYM ŚRODKU W MIASTECZKU WISIAŁA FLAGA HITLEROWSKA...

TU PO RAZ PIERWSZY JA WŁASNYMI OCZAMI PATRZYŁEM NA SWASTYKĘ.

JEDEN Z PASAŻERÓW OPOWIEDZIAŁ NAM O JEGO KUZYNIE Z NIEMIEC...

...MUSIAŁ ODSPRZEDAĆ SWÓJ INTERES DLA NIEMCÓW I UCIEKAĆ Z KRAJU, ON NAWET NIE ZABRAŁ SWOICH PIENIĘDZY.

ŻYDOM BYŁO TAM BARDZO CIĘŻKO – STRASZNIE!

INNY OPOWIADAŁ O JEGO KREWNYM, CO MIESZKAŁ W BRANDENBERGU – PRZYSZŁA DO NIEGO POLICJA I JEGO NIKT JUŻ POTEM NIE WIDZIAŁ.

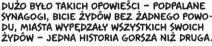

DUŻO BYŁO TAKICH OPOWIEŚCI – PODPALANE SYNAGOGI, BICIE ŻYDÓW BEZ ŻADNEGO POWO-DU, MIASTA WYPĘDZAŁY WSZYSTKICH SWOICH ŻYDÓW – JEDNA HISTORIA GORSZA NIŻ DRUGA.

37

WIECZORAMI CHO- DZILIŚMY ALBO DO TEATRU, ALBO DO LOKALU NA TAŃCE.

CZY OPOWIADAŁEM CI TRAGICZNĄ HISTORIĘ O PODUSZCE, KTÓRĄ MOJA RODZINA ZGUBIŁA NA POCZĄTKU WOJNY 1914 ROKU? MIAŁEM WTEDY SIEDEM LAT... MIESZKA- LIŚMY ZBYT BLISKO GRANICY, NIE BYŁO TAM BEZPIECZNIE...

JA SIĘ STARAŁEM JĄ ZAJĄĆ ANEGDOTAMI I OPOWIA- DANIEM DOWCIPÓW...

...ZAŁADOWALIŚMY WIĘC CO SIĘ DAŁO NA WÓZ ZAPRZĘŻONY W CZTERY KONIE I UDALIŚMY SIĘ DO DOMU DZIADKA W RADOMSKU...

KTOŚ Z WYPRZEDZAJĄCYCH NAS POWIEDZIAŁ, ŻE KILKA KILOMETRÓW WCZEŚNIEJ ZGUBILIŚMY PODUSZKĘ, KTÓRĄ NASTĘPNIE POD- NIÓSŁ OSOBNIK PODRÓŻU- JĄCY DO MSTOWA.

I WYOBRAŹ SOBIE – MÓJ OJCIEC NIGDY WCZEŚNIEJ NIE JECHAŁ NA KONIU... ALE ODWIĄZAŁ JEDNEGO SIWKA OD WOZU I RUSZYŁ W KIERUNKU MSTOWA.

CZEKAMY I CZEKAMY... MATKA ZACZYNA LAMENTOWAĆ: NA PEWNO SPADŁ Z KONIA I SIĘ ZABIŁ! A WCZEŚNIEJ BŁAGAŁA GO: POZWÓL, NIECH DIABLI WEZMĄ TĘ PODUSZKĘ I WSZYST- KIE NASZE ZMARTWIENIA RAZEM Z NIĄ!

KOŃ BYŁ KOŚCISTY I NIEOSIODŁANY... WRESZCIE PÓŹNĄ NOCĄ OJCIEC WRÓCIŁ Z PODUSZKĄ... WSADZONĄ POD SWÓJ DO KRWI POOBCIERANY *TUCHUS*...

TAK, ŻE OJCIEC ODZYSKAŁ PODUSZKĘ... ALE JUŻ DO KOŃCA WOJNY NIE MÓGŁ USIĄŚĆ!

KOCHAM CIĘ, WŁADEK!

ONA SIĘ ŚMIAŁA I ONA BYŁA TAKA SZCZĘŚLIWA, TAKA SZCZĘŚLIWA, ŻE CO CHWILĘ PRZYTULAŁA SIĘ DO MNIE I CAŁOWAŁA, TAKA BYŁA SZCZĘŚLIWA.

KIEDY MY WRÓCILIŚMY ZA JAKIEŚ TRZY MIESIĄCE, ANDZIA BYŁA CAŁKIEM ODMIENIONA.

JU HUU, TATUŚKU!

ANDZIA! WYGLĄDASZ NA WAGĘ ZŁOTA!

POSŁUCHAJ, WŁADEK... JA TOBIE NIE CHCIAŁEM POPSUĆ POBYTU W SANATORIUM, ALE–

–TRZYMAJ SIĘ MOCNO – TWOJA BIELSKA FABRYKA ZOSTAŁA OBRABOWANA!

CO!

TO SIĘ STAŁO ZESZŁEGO MIESIĄCA. POZABIERALI WSZYSTKO!

AJ! AJ! AJ!

A JA NAWET NIE ZDĄŻYŁEM SIĘ PRZED WYJAZDEM UBEZPIECZYĆ.

CÓŻ, ALE POMOGĘ CI JAKOŚ WSZYSTKO ODROBIĆ.

CZY CIEBIE WTEDY OBROBILI W RA-MACH JAKIEJŚ ANTYSEMICKIEJ AKCJI?

JA RACZEJ NIE SĄDZĘ. TO BYŁA ZWYCZAJ-NA KRADZIEŻ...

...TAK SAMO JAK NAS OKRADLI NA ZESZŁY ROK TU, W REGO PARK.

CÓŻ... W BIELSKU TEŚĆ NAM ZNOWU POMÓGŁ I MY SIĘ WTEDY URZĄDZILIŚMY OD NOWA...

40

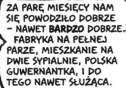

ZA PARĘ MIESIĘCY NAM SIĘ POWODZIŁO DOBRZE – NAWET **BARDZO** DOBRZE... FABRYKA NA PEŁNEJ PARZE, MIESZKANIE NA DWIE SYPIALNIE, POLSKA GUWERNANTKA, I DO TEGO NAWET SŁUŻĄCA.

ZOBACZ, RYSIU, TATUŚ WRÓCIŁ!

WŁADKU, WYGLĄ-DASZ NA ZMAR-TWIONEGO.

W MIEŚCIE ZNOWU DZIŚ BYŁY ROZRUCHY.

...WSZYSCY KRZYCZELI **PRECZ Z ŻYDAMI! PRECZ Z ŻYDAMI!**... DWIE OSOBY ZABITE. POLICJA TYLKO SIĘ PRZYGLĄDAŁA.

TO ZNOWU CI FASZYŚCI PODBURZAJĄ!

KIEDY CHODZI O ŻYDÓW, POLAKÓW NIE TRZEBA DŁUGO PODBURZAĆ!

PANI SZPIGELMAN – JAK PANI MOŻE MÓ-WIĆ COŚ TAKIEGO. PRZECIEŻ JA PAŃSTWA UWAŻAM ZA CZĘŚĆ MOJEJ RODZINY!

WYBACZ, JANINO, CIEBIE NIE MIAŁAM NA MYŚLI! PO PROSTU JESTEM W STRACHU!

MOŻE POWINNIŚMY SIĘ WYPROWADZIĆ, TAK JAK INNI.

JAK SIĘ ZROBI JUŻ **NAPRAWDĘ** ŹLE, UCIEKNIEMY Z POWROTEM DO SOSNOWCA.

DLACZEGO W SOSNOWCU MIAŁOBY BYĆ BEZPIECZNIEJ, NIŻ W BIELSKU?

WTEDY MYŚMY MYŚLELI, ŻE HITLER CHCE ZABRAĆ TYLKO KAWAŁKI POLSKI, TAK JAK BIELSKO, CO NALEŻAŁY DO **NIEMIEC** PRZED PIERWSZĄ WOJNĄ ŚWIATOWĄ.

MY ŻYLIŚMY BARDZO SZCZĘŚLIWIE JESZCZE WIĘCEJ NIŻ ROK – AŻ DO 24 SIERPNIA 1939 ROKU.

LIST PRZYSZEDŁ – OD SAMEGO RZĄDU!

KARTA MOBILIZACYJNA! BYŁEM ŻOŁNIERZEM W REZERWIE POLSKIEJ ARMII, WIĘC JA MUSIAŁEM SIĘ ZBIERAĆ ZARAZ!

BYŁO WIELKIE ZAMIESZANIE... WSZYSCY WIEDZIELI, ŻE ZARAZ PRZYJDZIE WOJNA...

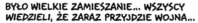

SZYBKO! ZAPAKUJ WSZYSTKO! TWÓJ OJCIEC ZABIERA CIĘ DO SOSNOWCA!

WŁADEK, BOJĘ SIĘ!

ZABIERAJ SWOJE BIBELOTY I PORCELANOWE FIGURKI!

ONE NIE SĄ WAŻNE!

ZOBACZYSZ, BĘDZIESZ JESZCZE MIAŁA Z NICH POCIECHĘ.

NIE MYLIŁEM SIĘ. JAK SIĘ POTEM RZECZY MIAŁY BARDZIEJ ŻLE, ONA MOGŁA TO WSZYSTKO POSPRZEDAWAĆ.

TAK WIĘC ANDZIA Z RYSIEM I Z GUWERNANTKĄ POJECHAŁY W JEDEN KIERUNEK – DO SOSNOWCA...

...A JA WTEDY RUSZYŁEM W DRUGI KIERUNEK – NA GRANICĘ NIEMIEC.

42

43

OKO ZACZĘŁO MI **KRWAWIĆ**, WIĘC JA MUSIAŁEM BIEGAĆ I SZUKAĆ JAKIEGOŚ LEKARZA W INNYM SZPITALU.

I TAM **INNY** SPECJALISTA MNIE ZOPEROWAŁ ZARAZ! INACZEJ JA WTEDY MOGŁEM UMRZEĆ.

I TERAZ JA MAM OKO ZE **SZKŁA**.

DOBRA ROBOTA, CO? KIEDYŚ NAWET W SZPITALU JEDEN MŁODY LEKARZ PODCHODZI DO MOJEGO ŁÓŻKA...

DŁUŻSZY CZAS ZAGLĄDA Z LATARKĄ W MOJE OCZY I MÓWI: PANIE SZPIGELMAN, U PANA LEWE OKO WYGLĄDA **DOSKONALE**!...

...ALE ZA TO W *PRAWYM* OKU **KATARAKTA**.

OCZYWIŚCIE ON NIE MIAŁ POJĘCIA, ŻE LEWE OKO JEST ZE SZKŁA...

A JA TEŻ NIC MU NIE POWIEDZIAŁEM, ŻEBY JEMU ZAOSZCZĘDZIĆ ZAKŁOPOTANIA.

AHA, OPOWIADAŁEŚ MI JUŻ O TYM.

NO, STARCZY JUŻ NA DZIŚ, CO? JESTEM ZMĘCZONY, A MNIE JESZCZE CZEKA POLICZENIE PIGUŁEK.

DOBRA JEST... JUŻ MNIE ROZBOLAŁA RĘKA OD TEGO NOTOWANIA.

NA SZCZĘŚCIE DLA MNIE, KIEDY TY NIE WIDZIAŁEŚ, MAMA W KOŃCU DAWAŁA MI COŚ, CO LUBIĘ, A TE STARE RESZTKI WYRZUCAŁA DO KOSZA.

TAK. ANDZIA Z TOBĄ ZAWSZE ZA BARDZO FOLGOWAŁA.

MMMM. DZIĘKI ZA OBIAD, MALA. JEDZENIE BYŁO PYSZNE.

PHI – Z TYM KURCZAKIEM BYŁO, MOIM ZDANIEM, ZA SUCHO. CHODŹ, LEPIEJ SIĘ NAM BĘDZIE ROZMAWIAĆ W SALONIE.

DOBRZE. JUŻ WYJMUJĘ MÓJ NOTES.

MÓWIĘ CI, JA JUŻ NIE WIEM, CO JA MAM ROBIĆ Z TĄ MALĄ, ONA–

TATO, PROSZĘ CIĘ! JA NIE MAM OCHOTY SŁUCHAĆ TEGO OD NOWA. OPOWIEDZ LEPIEJ, JAK CIĘ WZIĘLI DO WOJSKA W TRZYDZIESTYM DZIEWIĄTYM.

ROK 1939? TAK... PRZEZ KILKA DNI MIELIŚMY ĆWICZENIA I ZARAZ POTEM, U POCZĄTKU WRZEŚNIA, ZNALEŹLIŚMY SIĘ NA FRONCIE...

...SIEDZIELIŚMY W OKOPACH NAD RZEKĄ. PO DRUGIEJ STRONIE RZEKI BYLI NIEMCY.

ROZLEGAŁA SIĘ ZUPEŁNA CI-SZA, AŻ DO OSTATNICH CHWIL PRZED ŚWITEM...

CHWILECZKĘ. ZOR-GANIZOWALI WAM TYLKO KILKA DNI ĆWICZEŃ PRZED WYSŁANIEM WAS W BÓJ?

NO, NA **PIERWSZY** RAZ, JAK MIAŁEM DWADZIEŚCIA LAT, BYŁEM W WOJSKU 18 MIESIĘCY. I POTEM CO CZTERY LATA MNIE BRALI NA MIESIĄC ĆWICZEŃ DO LUBLINA.

WIDZISZ, MÓJ OJCIEC STARAŁ SIĘ UTRZYMYWAĆ WSZYSTKIE SWOJE DZIECI **JAK NAJDALEJ** OD WOJSKA...

...BO JAK ON SAM BYŁ MŁODY, TO CHCIELI GO WCIELIĆ W ARMIĘ *ROSYJSKĄ*...

A TAM BRALI CIĘ NA 25 LAT...

NA SYBERIĘ!

ON WYRWAŁ SOBIE 14 **ZĘBÓW**, ŻEBY SIĘ OD TEGO RATOWAĆ. DAWALI CI SPOKÓJ, JAK CI BRAKOWAŁO PRZYNAJMNIEJ 12 ZĘBÓW.

WIĘC KIEDY MÓJ BRAT **MARKUS** ZAKOŃCZYŁ 21 LAT, OJCIEC NAKAZAŁ MU DIETĘ GŁODOWĄ. MARKUS ZAWSZE BYŁ CHOROBLIWY CHUDZIELEC, WIĘC JAK POSZEDŁ DO KOMISJI WOJ-SKOWEJ... TO ONI GO NIE WZIĘLI.

ZA ROK PÓŹNIEJ PADŁA KOLEJ NA **MNIE** I OJCIEC CHCIAŁ, ŻEBYM JA ZROBIŁ TAK SAMO.

TO BYŁO COŚ **OKROPNEGO**!...

OJCIEC WZIĄŁ SIĘ ZA MNIE TRZY MIESIĄCE DO KOMISJI...

WŁADEK! WSTAWAJ!

ZA DUŻO ŚPISZ!

TYLKO TRZY GODZINY NA DOBĘ?

PRZESTAŃ, WŁADEK! NIE WOLNO CI TYLE JEŚĆ!

JESTEM GŁODNY!

DOBRZE, ZJEDZ JESZCZE JEDNEGO ŚLEDZIA.

TRZY MIESIĄCE JA KARMIŁEM SIĘ WYŁĄCZNIE NA SOLONYCH ŚLEDZIACH, BEZ ANI KROPLI WODY, ŻEBY SCHUDNĄĆ.

A ZA KILKA OSTATNICH DNI DO KOMISJI – TO JUŻ **ZERO** SNU I **ZERO** DO JEDZENIA...

ŁADNIE, CHŁOPCZE, JESZCZE TYLKO KROPELKĘ KAWY!!

DZIEŃ W DZIEŃ, TRZY LITRY KAWY, NA SERCE.

I JAK WRESZCIE NADSZEDŁ DZIEŃ WOJSKOWEJ KOMISJI MEDYCZNEJ...

TEN TUTAJ JEST ZDROWY, JAK RYDZ.

HM!...

NIE... ON JEST COŚ NIE ZA BARDZO W PORZĄDKU.

POPRACUJ NAD SOBĄ TROCHĘ, MŁODY CZŁOWIEKU, NABIERZ CIAŁA I SPOTKAMY SIĘ ZNOWU ZA ROK.

...ZA ROK OJCIEC CHCIAŁ, ŻEBY ZNOWU ZROBIĆ TO SAMO. ALE JA GO WYBŁAGAŁEM I W 1922 ROKU WZIĘLI MNIE DO WOJSKA...

ALE WRÓĆMY DO ROKU 1939!

NO WIDZISZ, JAK TY MI WSZYSTKO POKRĘCASZ? ...W ROKU 1939 ZNALEŹLIŚMY SIĘ W OKOPACH NAD RZEKĄ NA GRANICY DO NIEMIEC.

ROZLEGAŁA SIĘ ZUPEŁNA CISZA, AŻ DO OSTATNICH CHWIL PRZED ŚWITEM, KIEDY ROZPADAŁY SIĘ STRZAŁY PO OBU STRONACH RZEKI.

PRZYCZOŁGAŁ SIĘ DO MNIE OFICER.

OKOP SIĘ GŁĘBIEJ, BO CIĘ ZABIJĄ.

TWÓJ KARABIN JEST ZIMNY! DLACZEGO NIE STRZELASZ?

JA NIE WIDZIAŁEM, W CO MAM STRZELAĆ...

KPOK! KPOK! KPOK!

...ALE JA SIĘ ZAKOPAŁEM GŁĘBIEJ I ZACZĄŁEM STRZELAĆ!

51

NAGLE POCISKI ZACZĘŁY
LECIEĆ DO MNIE.

ZAKOPAŁEM SIĘ JESZCZE GŁĘBIEJ
I PRZESTAŁEM STRZELAĆ.

DLACZEGO JA MIAŁ-
BYM KOGOŚ ZABIJAĆ?

ALE JAK POPATRZYŁEM DO CELOW-
NIKA, ZOBACZYŁEM... DRZEWO!...

I TO DRZEWO SIĘ RUSZAŁO!

CHYBA MAM
ZWIDY. PRZE-
CIEŻ DRZEWO
NIE BIEGA?

ALE ONO BIEGŁO, NO TO JA MUSIAŁEM STRZELAĆ!

ACH!

PNG

DRZEWO UNIOSŁO RĘKĘ, ŻE
JEST TRAFIONE I SIĘ PODDAJE.

ALE JA DALEJ STRZELAŁEM I STRZELAŁEM, AŻ NARESZCIE DRZEWO PRZESTAŁO SIĘ RUSZAĆ. KTO WIE,
W ODWROTNYM RAZIE ON MÓGŁBY ZABIĆ MNIE!

ZABRALI NAS DO OKOLIC NORYMBERGII, GDZIE ZWIEŹLI RÓWNIEŻ **WIELE** INNYCH JEŃCÓW. ALE ŻYDOM KAZALI SIĘ USTAWIĆ Z OSOBNA.

TO PRZEZ **WAS** CAŁA TA WOJNA!

POWINNIŚMY WAS WSZYSTKICH **POWIESIĆ** TU NA MIEJSCU!

OCZYWIŚCIE, Z NAS ŻADEN SIĘ NIE ODEZWAŁ ANI NA SŁOWO.

WYŁÓŻCIE TU WSZYSTKIE WASZE KOSZTOWNOŚCI!

ON PODSZEDŁ DO MNIE... JA MIAŁEM KOŁO 300 ZŁOTYCH.

NA CO CI, ŻYDZIE, TYLE PIENIĘDZY?

WIĘKSZOŚĆ MIAŁA NAJWYŻEJ 5-6 ZŁOTYCH.

ZAMIERZASZ ROBIĆ TUTAJ JAKIEŚ INTERESY?

POKAŻ MI RĘCE!

NIE PRZEPRACOWAŁEŚ W CAŁYM SWOIM ŻYCIU ANI JEDNEGO DNIA!

JA MIAŁEM DŁONIE, TAK JAK TY, ARTIE, ZAWSZE BARDZO DELIKATNE.

ALE TY SIĘ NIE MARTW, ŻYDZIE, WYNAJDZIEMY CI TU ZARAZ JAKĄŚ PRACĘ!

I ONI WYNALEŹLI.

INNY NIEMIEC ZAPROWADZIŁ CZTERECH CZY PIĘCIU Z NAS NA STAJNIE.

WIDZICIE TEN BAŁAGAN? MA TU BYĆ WYSPRZĄTANE NA POŁYSK ZA GODZINĘ. **ZROZUMIANO!**

ZA GODZINĘ TO BYŁO ZUPEŁNIE *NIEWYKONALNE!*

MYŚMY PRACOWALI NAPRAWDĘ BARDZO CIĘŻKO. ALE PO MINIĘCIU GODZINY...

ACH TAK!

JESZCZE NIE SKOŃ-CZONE?

TO WAS BĘDZIE KOSZTOWAŁO CAŁY TALERZ ZUPY, WY LENIWE GNOJKI!

I JAKIMŚ CUDEM MYŚMY CAŁĄ TĘ ROBOTĘ *ZROBILI* ZALEDWIE ZA *PÓŁTOREJ* GODZINY. **ALE PATRZ, CO TY TU ROBISZ, ARTIE!**

HE?

TY OTRZĄSASZ NA DYWAN POPIÓŁ OD *PAPIEROSA.* CZY TY CHCESZ, ŻEBY **TUTAJ** BYŁO TAK JAK W STAJNI?

OOPS. PRZEPRA-SZAM.

JAK TY TO TU NIE WYSPRZĄTASZ, NO TO **JA** BĘDĘ MUSIAŁ. MALA TO MOGŁABY OBOK TEGO CHODZIĆ CAŁY **TYDZIEŃ.**

ALE ONA DOBRZE *WIE,* ŻE NA MÓJ STAN ZDROWIA BARDZO MI CIĘŻKO, ŻEBY ROBIĆ TAKIE RZECZY.

DOBRA, DOBRA. JUŻ JEST CZYSTO.

I TAK NA KILKA TYGODNI PRACOWALIŚMY I MIESZKA-
LIŚMY W TEJ STAJNI, AŻ NAS PRZEWIEŹLI DO
JESZCZE *WIĘKSZEGO* OBOZU JENIECKIEGO.

BRRR POLSKIM
JEŃCOM DAJĄ DOMKI
OGRZEWANE.

TAK, A MY NA ŚMIERĆ
MAMY ZAMARZNĄĆ
W TYCH NAMIOTACH.

W TAMTĄ JESIEŃ BYŁO OKROPNIE ZIMNO.
PO CAŁEJ EUROPIE MRÓZ BYŁ TAKI, ŻE PTAKI
SPADAŁY Z DRZEW NA ZIEMIĘ.

MIELIŚMY TYLKO NASZE LETNIE MUNDURKI I MO-
GLIŚMY SIĘ NAJWYŻEJ ZAWINĄĆ CIENKIM KOCEM.

ŻEBY PRZYNAJMNIEJ DALI NAM
DOŚĆ DO JEDZENIA.

INNI JEŃCY DOSTAJĄ **DWA** POSIŁKI
DZIENNIE. NAM, ŻYDOM, DAJĄ TYLKO
SKÓRKĘ OD CHLEBA I ODROBINĘ ZUPY.

DZIEŃ DOBRY, WŁADEK.

DOKĄD TY IDZIESZ?

IDĘ SIĘ WYKĄPAĆ
W RZECE.

TY ZUPEŁNIE **OSZALAŁEŚ.**

BRRR BĘDĘ **CZYSTY!** I PRZEZ
SAMO PORÓWNANIE BĘDZIE
MI CIEPŁO
CAŁY DZIEŃ.

INNI CZĘSTO DOSTAWALI RAN ODMROŻENIOWYCH.
ROBIŁA IM SIĘ ROPA, A W ROPIE RODZIŁY SIĘ WSZY.

JA SIĘ KĄPAŁEM I GIMNASTY-
KOWAŁEM CO DZIEŃ, ŻEBY
ZACHOWAĆ SIŁY... I MY TEŻ
CO DZIEŃ SIĘ MODLILIŚMY.

JA BYŁEM BARDZO RELIGIJNY,
ALE TAM NIE BYŁO TEŻ NIC
INNEGO CO ROBIĆ.

CZĘSTO TEŻ GRALIŚMY W SZACHY,
ŻEBY CZYMŚ ZAJĄĆ NASZE MYŚLI
I ŻEBY JAKOŚ ZABIJAĆ CZAS.

MIAŁEM KOMPLET DO SZA-
CHÓW Z KAMYKÓW I CHLEBA.

I JEDEN RAZ NA TYDZIEŃ WOLNO
NAM BYŁO POSŁAĆ JEDEN LIST
PRZEZ MIĘDZYNARODOWY
CZERWONY KRZYŻ.

TYLKO PO NIEMIECKU I NA
SPOSÓB BARDZO OGLĘDNY.

I PO TEJ SAMEJ DRODZE
PRZYSZŁA PACZKA...

CZEKOLADA!
PAPIEROSY!
DŻEM!

Z TEJ PACZKI TO BYŁ
DLA MNIE JAKIŚ SKARB.

MIAŁEM ZNAK, ŻE RODZINA JEST
W BEZPIECZEŃSTWIE, A JEDNO-
CZEŚNIE MIAŁEM PAPIEROSY,
CO – NIGDY NIE BĘDĄC PALĄCY
– MOGŁEM HANDLOWAĆ
NA ŻYWNOŚĆ.

TAK SIĘ UTRZYMYWAŁO PRZEZ JA-
KIEŚ SZEŚĆ TYGODNI, A DOPIERO...

CHODŹCIE! WY-
WIESILI JAKIEŚ
OGŁOSZENIE!

ROBOTNICY POSZUKIWANI
Jeńcy wojenni mogą zgłaszać
się ochotniczo na stano-
wiska pracy zwolnione po
Niemcach udających się na
front. Zapewniamy dach
i dostatnie wyżywienie.

TO JEST
PODSTĘP!

NIGDY NA OCHOTNIKA!

JEŚLI MUSIMY UM-
RZEĆ, GIŃMY TUTAJ!

NIE!

NIE PODZIELAŁEM
Z NIMI ZDANIA.

NIE ZAMIERZAM UMIERAĆ
I NIE ZOSTAJĘ TUTAJ!

CHCĘ ŻYĆ W LUDZKICH
WARUNKACH!

MOI TOWARZYSZE JAK ZOBACZYLI, ŻE JA SIĘ PISZĘ, TO ONI TEŻ SIĘ ZAPISALI.

I ZARAZ NAS POSŁALI DO WIEL- KIEGO NIEMIECKIEGO ZAKŁADU.

ZAWIEŹLI NAS DO PRZYZWOITYCH DREWNIANYCH DOMKÓW. DALI ZUPY I CHLEBA...

PATRZCIE! PIEC!

I PRAWDZIWE ŁÓŻKA!

Z PRZEŚCIERA- DŁEM I PODUSZKĄ!

I TAK JUŻ CAŁY DZIEŃ TYLKO ODPOCZY- WALIŚMY, WRACALIŚMY DO SIŁY.

AJ, CZUJĘ SIĘ, JAKBY OD **WIEKÓW** NIE BY- ŁO MI CIEPŁO, JAKBYM WIEKI NIE LEŻAŁ W ŁÓŻKU!

TAK – CZY TO NIE JEST ZABAWNE? PRZECIEŻ DOPIERO DWA MIESIĄCE UPŁYNĘŁY OD MOBILIZACJI.

ALE TROCHĘ SIĘ BOJĘ, WŁADEK, WIESZ? KTO WIE, DO JAKIEJ PRACY NAS PRZYDZIELĄ.

TO NIE MA ZNACZENIA...

...WSZYSTKO JEST JUŻ LEPSZE, NIŻ GNIĆ W TYCH NAMIOTACH.

CHYBA RACJA.

NA DRUGI DZIEŃ NAM DALI ŁOPATY I KILOFY...

...NARZĘDZIA, JAKICH MY W ŻYCIU NIE TRZYMALIŚMY W RĘKACH.

I ROBOTA OKAZAŁA SIĘ NAPRAWDĘ OKROPNIE CIĘŻKA. PRZENOSILIŚMY GÓRY.

GÓRA

DÓŁ

PAGÓRKI MIAŁY 3-4 METRY WYSOKOŚCI. MYŚMY ROBILI NIWELACJE.

NIEKTÓRZY NARZEKALI — I SZCZEGÓLNIE CI, CO BYLI ZA STARZY, ALBO ZA SŁABI NA TAKĄ ROBOTĘ:

J... JA JUŻ NIE MOGĘ.

TY ŻYDZIE DARMO-ZJADZIE!

JAK CI SIĘ NIE PODOBA, TO WRACAJ DO OBOZU.

W PORZĄDKU — POMOŻEMY CI, JAK NIKT NIE BĘDZIE PATRZYŁ.

PRÓBOWALIŚMY POMAGAĆ NIEKTÓRYM, ALE — CO TY NA TO POWIESZ? — WIELE **WRACAŁO** DO NAMIOTÓW NA ŚMIERĆ OD GŁODU I CHŁODU.

CO SIĘ W SUMIE Z NIMI STAŁO, TO JA NIE WIEM.

NO, ALE OSIEMDZIESIĄT PROCENT ZOSTAŁO. BYŁO CO DO JEDZENIA I BYŁO CIEPŁO SIĘ PRZESPAĆ. LEPIEJ BYŁO ZOSTAĆ...

...JA SIĘ KŁADŁEM DO SPANIA ZAWSZE WYKOŃ-
CZONY I JEDNEJ NOCY JA MIAŁEM SEN...

MÓWIŁ DO MNIE JAKIŚ GŁOS, MNIE SIĘ ZDAWAŁO,
ŻE TO MÓJ UMARŁY DZIADEK...

„TY SIĘ NIE MARTW..."

„...NIE MARTW SIĘ,
MOJE DZIECKO..."

TEN GŁOS WYGLĄDAŁ BARDZO REALNIE...

„WYDOSTANIESZ SIĘ STĄD
– BĘDZIESZ WOLNY!
..W DZIEŃ PARSZAS TRUMA".

I SIĘ ZARAZ OBUDZIŁEM, A KIEDY JA Z POWRO-
TEM ZASNĄŁEM, TO JA ZNOWU USŁYSZAŁEM:
„PARSZAS TRUMA! PARSZAS TRUMA!"

A CO TO JEST
PARSZAS TRUMA?

ZAWSZE W SOBOTĘ
CZYTAMY Z TORY
JEDEN USTĘP.

I TO SIĘ WŁAŚNIE NAZYWA – PARSZA...
A RAZ DO ROKU WYPADA PARSZAS
TRUMA.

JA I JESZCZE KILKU MODLI-
LIŚMY SIĘ CO DZIEŃ PRZED
PRACĄ. MIELIŚMY MIĘDZY
NAMI RABINA.

CHWILECZKĘ, REBE.
KIEDY BĘDZIEMY CZY-
TAĆ PARSZAS TRUMA?

PARSZAS TRUMA?

...W POŁOWIE LUTEGO
– ZA NIECAŁE TRZY
MIESIĄCE. CZEMU?

TRZY MIESIĄCE – A DLA
NAS KAŻDY DZIEŃ BYŁ
JAK ROK!

OPOWIEDZIAŁEM O MOIM ŚNIE.

MIEJMY NADZIEJĘ, ŻE TO
PRAWDA. BO JA SIĘ OBAWIAM,
ŻE JUŻ STĄD NIGDY NIE
WYJDZIEMY.

PRACOWALIŚMY WIĘC DZIEŃ ZA DNIEM. I MYŚMY PRZEŻYWALI. Z TYGODNIA NA TYDZIEŃ.

AŻ NA JEDEN DZIEŃ...

PATRZCIE – ŻOŁNIERZE!

ZJECHAŁO PEŁNO LUDZI Z GESTAPO I WEHRMACHTU.

UWAGA! USTAWIĆ SIĘ W DWUSZEREGU NA DRODZE! NATYCHMIAST!

POCZULIŚMY SIĘ W NIEPEWNOŚCI. NIE BYŁO WIADOMO, CO ONI Z NAMI MOGĄ ZROBIĆ.

JA SIĘ ZAWSZE USTAWIAŁEM DO DRUGIEGO SZEREGU.

(PSST – WŁADEK)

NIE CHCIAŁEM SIĘ RZUCAĆ IM W OCZY.

KTOŚ SIĘ PRZEŚLIZGNĄŁ W MOIM KIERUNKU...

REBE!

CZY TY WIESZ CO DZIŚ ZA DZIEŃ?

SOBOTA, OCZYWIŚCIE.

ALE CZY TY WIESZ JAKA DZIŚ SOBOTA?...

DZIŚ PARSZAS TRUMA!

SPĘDZILI NAS NA BOISKO I USTAWILI W RZĘDY, LITERAMI ALFABETU, W KOLEJKACH DO STOLIKÓW.

NAZWISKO I STOPIEŃ?

SZPIGELMAN WŁADYSŁAW, KAPRAL.

MIEJSCE DOCELOWE PO ZWOLNIENIU?

SOSNOWIEC...

TO AKURAT NIEMCY UMIEJĄ DOSKONALE.

...DO ŻONY I DZIECKA.

...ZAWSZE I ZE WSZYSTKIM SĄ TACY SYSTEMATYCZNI.

DOBRZE – PROSZĘ PODPISAĆ KWIT ZWOLNIENIA.

...WSZYSTKICH ZAŁATWILI W JEDEN DZIEŃ.

CHCESZ POWIEDZIEĆ, ŻE TWÓJ SEN O PARSZAS TRUMA SIĘ SPEŁNIŁ?

TAK – DLA MNIE TO JEST BARDZO WAŻNA DATA...

POTEM JA SPRAWDZIŁEM W KALENDARZU, ŻE TA SAMA PARSZA WYPADAŁA TEŻ NA DZIEŃ, CO MIAŁEM ŚLUB Z ANDZIĄ.

...A W 1948 ROKU, PO WOJNIE, TA SAMA PARSZA PRZYPADAŁA, JAK TY PRZYCHODZIŁEŚ NA ŚWIAT!...

I TĘ SAMĄ PARSZĘ TY ŚPIEWAŁEŚ NA SOBOTĘ TWOJEJ MYCWY!

NA DRUGI DZIEŃ RANO KAŻDEMU WRĘCZYLI PACZKĘ OD CZERWONEGO KRZYŻA I ZAŁADOWALI NAS NA POCIĄG DO POLSKI.

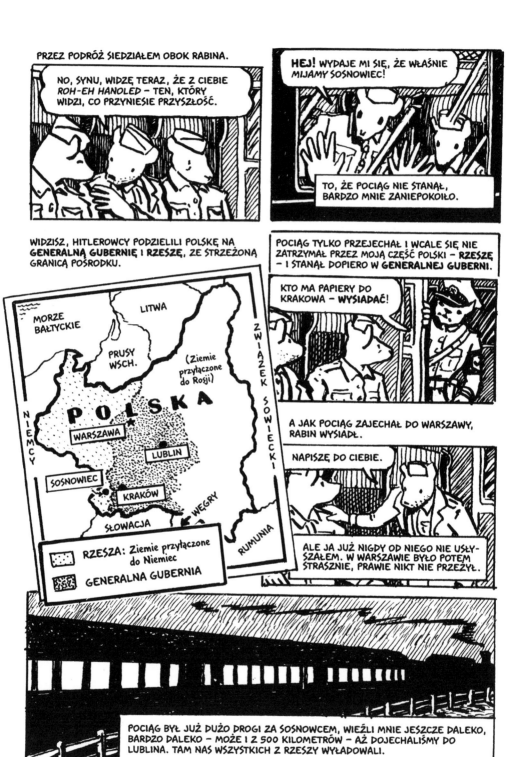

W LUBLINIE NAS WZIĘLI DO WIELKICH NAMIOTÓW...

...I MY TAK CZEKALIŚMY.

ZA JAKIŚ CZAS PRZYSZLI Z ODWIEDZINAMI LUDZIE Z LOKALNEJ ŻYDOWSKIEJ GMINY...

CZEMU NAS TU TRZYMAJĄ?

SYTUACJA JEST BARDZO NIEDOBRA... PRZED WASZYM PRZYJAZDEM BYŁA TU INNA GRUPA ZWOLNIONYCH Z OBOZÓW JENIECKICH...

...PRZEDWCZORAJ HITLEROWCY ZAPĘDZILI ICH DO LASU...

...I WSZYSTKICH POZA-BIJALI. ZASTRZELILI 600 LUDZI!

NASZA KOLEJ BYŁA NASTĘPNA!

ZDAWAŁO MI SIĘ, ŻE WŁAŚNIE CIĘ ZWOLNILI Z NIEWOLI!

TAK JEST...

NAS TROSZKĘ CHRONIŁO MIĘDZYNARODOWE PRAWO, JAKO POLSKICH JEŃCÓW, NO, ALE ŻYD Z RZESZY, TO JEGO KAŻDEMU BYŁO WOLNO ZASTRZELIĆ NA ULICY!

A JAK SIĘ TYLKO ZROBIŁO JASNO...

SZPIGELMAN!...
SZPIGELMAN!...

WŁADEK!

ORBACH! JAK JA SIĘ CIESZĘ, ŻE JA *PANA* WIDZĘ!

I JUŻ ZA DZIESIĘĆ MINUT JA BYŁEM WOLNY!

TEN ORBACH TO BYŁ PRZYJACIEL MOJEGO WUJA – MIAŁ DWIE PRZEPIĘKNE CÓRKI, W TAKIM WIEKU, CO JA.

PRZYKRO MI, WŁADKU, ŻE NIE MOŻEMY PODJĄĆ CIĘ LEPSZYM POSIŁKIEM – ALE ŻYDZI W LUBLINIE DOSTAJĄ BARDZO NIEWIELE KARTEK NA ŻYWNOŚĆ.

CHWILECZKĘ, DZIEWCZĘTA – MAM DLA KAŻDEJ Z WAS PODAREK...

OCH, BOŻE!
CZEKOLADA!

TE DWIE TABLICZKI ZACHOWAŁEM Z PACZKI OD CZERWONEGO KRZYŻA. JA *ZAWSZE* OSZCZĘDZAŁEM... NA WSZELKI WYPADEK.

POTEM, JAK JUŻ WRÓCIŁEM DO SOSNOWCA, POSYŁALIŚMY DO NICH PACZKI ŻYWNOŚCIOWE...

...U NAS PRZECIEŻ JAKIŚ CZAS POWODZIŁO SIĘ NIECO LEPIEJ... ODPISALI NAM BARDZO WDZIĘCZNI, ŻE TO IM POMOGŁO PRZEŻYĆ...

...POTEM PISALI, ŻE NIEMCY *ZATRZYMUJĄ* DLA SIEBIE PACZKI, A POTEM ONI JUŻ PRZESTALI PISAĆ.

KONIEC.

ZOSTAŁEM U ORBACHÓW KILKA DNI, DOCHODZIŁEM DO SIŁY. ALE JA BYŁEM NIESPOKOJNY. JAK SIĘ TU PRZEMYCIĆ ZA GRANICĘ, DO RODZINY?

POCIĄGI MIĘDZY GENERALNĄ GUBERNIĄ I RZESZĄ KURSOWAŁY NORMALNIE. ALE TYLKO DLA TYCH, CO MIELI LEGALNE PAPIERY. JA BYŁEM ICH, NIESTETY, POZBAWIONY...

...ALE I TAK WSIADŁEM NA POCIĄG, KTÓRY JECHAŁ DO MOICH STRON.

POSZEDŁEM DO KONDUKTORA, POLAKA...

MOGĘ Z PANEM CHWILĘ POGADAĆ?

JASNE, ŻOŁNIERZU.

JA WCIĄŻ NOSIŁEM NA SOBIE MÓJ MUNDUR WOJSKOWY I NIE DAWAŁEM POZNAĆ, ŻE JA JESTEM ŻYD.

OBAJ JESTEŚMY POLACY, WIĘC CHYBA MOGĘ PANU ZAUFAĆ... TE HITLEROWSKIE GNOJE TRZYMAŁY MNIE W OBOZIE JENIECKIM... ALE UCIEKŁEM.

POLACY NIEMCÓW NIE CIERPIELI, WIĘC BYŁO DOBRZE, ŻEBY WYRAŻAĆ SIĘ O NICH JAK NAJBARDZIEJ ŹLE.

PRÓBUJĘ SIĘ DOSTAĆ DO SOSNOWCA — Z POWROTEM DO DOMU.

NIE MARTW SIĘ PAN... JAK BĘDZIEMY PRZEJEŻDŻAĆ PRZEZ GRANICĘ, TO SCHOWASZ SIĘ PAN TUTAJ.

I TAK POPRZEZ KOLEJARZA PRZEDOSTAŁEM SIĘ Z POWROTEM NA SWOJĄ STRONĘ POLSKI.

JA NAJPIERW POSZEDŁEM DO DOMU RODZICÓW...

...CO JUŻ MYŚLAŁEM, ŻE ICH WIĘCEJ NIE ZOBACZĘ.

OJ GEWALT! TO **WŁADEK!**

SYNU MÓJ! DZIĘKI BOGU JESTEŚ ŻYWY!

I MIMO WSZYSTKO ZDROWO WYGLĄDASZ!

JA JESTEM SILNY, MAMO. ALE TY ŹLE WYGLĄDASZ!

TO Z TEGO MARTWIENIA SIĘ O CIEBIE.

ALE TO NIE BYŁO TYLKO TO. ONA DOSTAŁA RAKA.

I ZA MIESIĄC ALBO DWA – UMARŁA. NIGDY SIĘ NIE DOWIEDZIAŁA WSZYSTKIEGO STRASZNEGO, CO SIĘ STAŁO WKRÓTCE POTEM!

OJCZE! A GDZIE TWOJA BRODA? CO SIĘ STAŁO? TY SIĘ OGOLIŁEŚ?

JUŻ MI ZACZYNA ODRASTAĆ...

ON BYŁ BARDZO RELIGIJNY – JAK RABIN – WIĘC ON, OCZYWIŚCIE, ZAWSZE NOSIŁ DŁUGĄ BRODĘ.

WE WRZEŚNIU NIE- MIECCY ŻOŁNIERZE NAŁAPALI ŻYDÓW NA ULICY...

KAZALI NAM ŚPIEWAĆ MODŁY, A SAMI SIĘ ŚMIALI I BILI NAS.

...I ZANIM NAS PUŚCILI, POOBCINALI NAM BRODY.

A TERAZ JESZCZE TE SZATANY ZABRAŁY MOJĄ WYTWÓRNIĘ WODY SODOWEJ. ONI—

DOSYĆ!

MUSZĘ ZDĄŻYĆ GO ODPROWADZIĆ DO DOMU, DO ANDZI, PRZED GODZINĄ POLICYJNĄ.

NA GODZINĘ 19:00 WSZYSCY ŻYDZI MIELI BYĆ W ICH DOMACH, I TO Z POGASZONYMI ŚWIATŁAMI.

69

OD MOICH RODZICÓW DO SOSNOWCA TO NIE BYŁA DŁUGA DROGA.

WEJDŹ I POWIEDZ, ŻE DOSTAŁAŚ WŁAŚNIE ODE MNIE LIST Z WIADOMOŚCIĄ, ŻE ZA TYDZIEŃ WRACAM DO DOMU.

PODSŁUCHIWAŁEM ZA DRZWIAMI...

NIE ŻARTUJ! GDYBY WŁADEK WRACAŁ DO DOMU, TO PRZECIEŻ NAPISAŁBY TEŻ I DO NAS!

A KUKU!

O MÓJ BOŻE.

WŁADEK!

CHWYCIŁEM NA RAMIONA MOJEGO 2,5-LETNIEGO SYNKA.

RYSIU!

ŁAAA!

ON ZACZĄŁ WRZESZCZEĆ.

CZEGO TY PŁACZESZ, MÓJ MAŁY? JESTEM TWOIM OJCEM!

BUUU!

ᴇSNFᴇ GUZIKI. TWOJE METALOWE GUZIKI, TATO – ONE SĄ STRASZNIE ZIMNE!

JA TOBIE NIE MUSZĘ MÓWIĆ, JAKA RADOŚĆ SIĘ ZROBIŁA W DOMU.

CHOCIAŻ BYŁO NAM BARDZO CIĘŻKO – **NAPRAWDĘ** OKROPNIE CIĘŻKO – MYŚMY SIĘ CIESZYLI, ŻE W OGÓLE JESTEŚMY RAZEM.

...TO NIE BYŁO TO, CO JEST TERAZ ZE MNĄ I Z MALĄ.

JA CI MÓWIĘ, GDYBY ANDZIA TYLKO ŻYŁA, JA MIAŁBYM WSZYSTKO ZUPEŁNIE INACZEJ!

MALA MNIE WPROWADZA DO SZAŁU. NIC TYLKO MÓWI O PIENIĄDZACH I O MOIM TESTAMENCIE.

TATO! PROSZĘ...

CIĄGLE MI TO POWTARZASZ. JA NIC W TEJ SPRAWIE NIE MOGĘ DLA CIEBIE ZROBIĆ.

ALE JA NIE MAM DO KOGO O TYM POROZMAWIAĆ.

A JA PRZECIEŻ DLA **CIEBIE** PILNUJĘ MOJE PIENIĄDZE!

JEZU – POMÓWMY O TYM KIEDY INDZIEJ. ZADZWONIĘ!

POZA TYM ROBI SIĘ PÓŹNO. MUSZĘ ZDĄŻYĆ DO DOMU PRZED GODZINĄ POLICYJNĄ!

HMF.

HEJ – A GDZIE MÓJ PŁASZCZ? PRZECIEŻ WISIAŁ TUTAJ!

TAKI STARY, WYŚWIECONY PŁASZCZ. TO JEST **WSTYD**, ŻEBY MÓJ SYN BYŁ UBRANY W TAKIM PŁASZCZU!

ALE MNIE SIĘ ON PODOBA!

JA MAM DLA CIEBIE COŚ LEPIEJ **CIEPŁEGO**. KUPIŁEM U ALEXANDRA **NOWĄ** KURTKĘ, WIĘC MOGĘ CI ODDAĆ STARĄ. ONA JEST JESZCZE ZUPEŁNIE JAK NOWA!

JA PROSZĘ, TYLKO PRZYMIERZ JĄ NA CHWILĘ.

NO ŚWIETNIE! ORTALIONO-WA Z POD-PINKĄ!

POZA TYM JEST ZA DUŻA.

EE TAM! PRZECIEŻ TY W TYM WYGLĄDASZ NA WAGĘ ZŁOTA!

POSŁUCHAJ, TATO. NIE **MOŻESZ** MI TEGO ROBIĆ. MAM JUŻ PONAD 30 LAT. SAM SOBIE WYBIERAM UBRANIA.

JAK TY TROCHĘ PONOSISZ, SAM **ZOBA-CZYSZ**, JAK TOBIE W TYM DOBRZE... CHODŹ, JA CIĘ ODPROWADZĘ DO DRZWI.

I NIE ZAPOMNIJ, ARTIE, TY ZADZWONISZ DO MNIE W TYGODNIU I SOBIE POROZMAWIAMY.

TYŚ NAPRAW-DĘ WYRZUCIŁ MÓJ PŁASZCZ. NIE DO WIARY!

...PO PROSTU NIE DO WIARY...

ROZDZIAŁ CZWARTY

TY SIĘ SPÓŹNIŁEŚ!

DREWNIANY WIESZAK

NIC PODOBNEGO – MÓWIŁEM, ŻE PRZYJDĘ PO KOLACJI.

NOWY TRENCZ

ALE ZROBIŁ SIĘ JUŻ MROK! JA CHCIAŁEM, ŻEBYŚ TY POSZEDŁ NA DACH, BO MOJA RYNNA PRZECIEKA WODĄ.

HE?

ALEŻ JA NIE POTRAFIĘ NAPRAWIAĆ TAKICH RZECZY, CZEMU NIE **WEZWIESZ** FACHOWCA?

ACH!

TY JESTEŚ PODOBNY JAK MALA! WY TO MYŚLICIE, ŻE PIENIĄDZE KWITNĄ NA DRZEWIE. SAM TO NAPRAWIĘ!

WYKLUCZONE! W TWOIM STANIE WCHODZIĆ PO DRABINIE NA WYSOKOŚĆ DRUGIEGO PIĘTRA...

JAK CHCESZ, TO ZAPŁACĘ RZEMIEŚLNIKOWI.

NIEWAŻNE – TY ZAPOMNIJ O TYM!... CHODŹ, USIĄDŹ KOŁO MNIE. JA MUSZĘ TROCHĘ POKRĘCIĆ PEDAŁY...

BO INACZEJ PO NOCY DOSTAJĘ KURCZE – **CO TY TAM MASZ?**

NOWY MAGNETOFON... PISANIE JEST TROCHĘ ZBYT MĘCZĄCE.

NO, A CO TY ZAPŁACIŁEŚ?

TYLKO 75 DOLCÓW! WYPRZEDAŻ!

PHHI, CI W **KORVETTES** WZIĘLIBY – NAJWYŻEJ – TRZYDZIEŚCI PIĘĆ...

DOBRA – DARUJ SOBIE! OPOWIEDZ MI LEPIEJ, JAK BYŁO, KIEDY W 1940 WRÓCIŁEŚ Z OBOZU JENIECKIEGO.

JAK JA WRÓCIŁEM DO DOMU, TO WSZYSTKO WYGLĄDAŁO DOKŁADNIE TAK SAMO, JAK ZANIM WYJECHAŁEM.

CIĄGLE JESZCZE ŻYŁO SIĘ NA LUKSUSOWO. NIEMCY NIE BYLI W STANIE ZNISZCZYĆ WSZYSTKIEGO NARAZ.

W DOMU TEŚCIÓW MIESZKAŁO NAS DWANAŚCIE...

BYŁA ANDZIA I JA, I NASZ SYN, RYSIU...

TOSIA, STARSZA SIOSTRA ANDZI, Z JEJ MĘŻEM WOLFEM I CÓRECZKĄ BIBI...

I ANDZI DZIADKOWIE. ŻYLI JUŻ CHYBA PO 90 LAT, ALE MIELI ŚWIETNĄ FORMĘ...

I OCZYWIŚCIE, MÓJ TEŚĆ I MOJA TEŚCIOWA...

I JESZCZE DWÓJKA DZIECI TWOJEGO WUJA HERMANA I CIOTKI HELENY: LOLEK I LONIA.

HERMAN I HELA MIELI POWODZENIE. JAK WYBUCHAŁA WOJNA, TO ONI PRZEBYWALI NA WYSTAWIE ŚWIATOWEJ W NOWYM JORKU.
I TO ICH URATOWAŁO.

78

ACH, BABCIU, TWÓJ GULASZ JEST JESZCZE LEPSZY, NIŻ PAMIĘTAŁEM.

NIE, WŁADKU, NIE JEST TAKI JAK PRZED WOJNĄ – NIE MOGĘ DOSTAĆ WSZYSTKICH SKŁADNIKÓW.

KAŻDY Z NAS DOSTAJE KARTKI NA DWADZIEŚCIA DEKO CHLEBA DZIENNIE I RAZ NA TYDZIEŃ ODROBINĘ MARGARYNY, CUKRU I DŻEMU. TO WSZYSTKO.

WIĘC JAK SOBIE DAMY RADĘ?

WPŁACIŁEM DUŻE SUMY NA ŻYDOWSKĄ ORGANIZACJĘ GEMEINDE – I TEŻ WOLFI U NICH PRACUJE... DOSTAJEMY WIĘC I COŚ STAMTĄD.

NO I POZOSTAJE CZARNY RYNEK.

ZA PIENIĄDZE ZAWSZE SIĘ WSZYSTKO DOSTANIE!

ALEŻ TO WSZYSTKO JEST NIEBEZPIECZNE. HITLEROWCY ZA NAJDROBNIEJSZE WYKROCZE-NIE WYWOŻĄ DO OBOZÓW PRACY.

GORZEJ – WYWOŻĄ TEŻ BEZ JAKIEGO-KOLWIEK WYKROCZENIA!

...A CI, KTÓRYCH ZABRALI – PRZEPADAJĄ BEZ ŚLADU!

NO, POWINNIŚMY SIĘ CIESZYĆ, ŻE JESTEŚMY WSZYSCY RAZEM I ŻE MAMY CO JEŚĆ.

ALE DO KOŃCA WOJNY MUSIMY NAPRAWDĘ ZACISNĄĆ PASA.

DALEJ — ZAGRAJMY W REMIKA, A KOBIETY POSPRZĄTAJĄ ZE STOŁU.

CZY RODZINA DOBRZE SIĘ ZAOPIEKOWAŁA MOJĄ FABRYKĄ W BIELSKU?

NIE WIESZ?... WSZYSTKIE ŻYDOWSKIE INTERESY ZOSTAŁY PRZEJĘTE PRZEZ „ARYJSKICH ZARZĄDCÓW".

JAK POJECHAŁEM DO NASZEJ FABRYKI W ŁODZI, POWIEDZIELI MI: „LEPIEJ OD RAZU JEDŹ DO DOMU, STARY, BO JUTRO CIĘ WYNIESIEMY".

CO?

A ŻADNE PIENIĄDZE NIE WPŁYWAJĄ?

ANI JEDNEJ ZŁOTÓWKI. A RODZINA CHCIAŁABY ŻYĆ TAK SAMO JAK PRZED WOJNĄ!

DOBRA, WŁADEK, PRZEKŁADAJ.

POWIEDZ MI, WOLFI — JAKĄ TY WYKONUJESZ PRACĘ?

TROCHĘ PRACY PAPIERKOWEJ DLA GEMEINDE, TO WSZYSTKO... ALE KILKA MIESIĘCY TEMU TEŚĆ ZABRAŁ Z SEJFU BANKOWEGO DO DOMU WSZYSTKIE SWOJE KOSZTOWNOŚCI.

NA JAK DŁUGO MAMY OSZCZĘDNOŚCI?

NIE MARTW SIĘ TYLE, WŁADEK. ZOBACZYSZ... WOJNA SIĘ SKOŃCZY BŁYSKAWICZNIE!

JA! PIORUNEM!

ACH!

WOLFI TYLKO PATRZYŁ, ŻEBY ZAGRAĆ W KARTY.

NASTĘPNEGO DNIA POSZEDŁEM NA ULICĘ MODRZEJOWSKĄ, TU LUDZIE JESZCZE COŚ ZARABIALI, CIĄGNĘLI NIELEGALNE, TAJNE INTERESY...

(PSST – KARTKI ZA MARKI)

WŁADEK SZPIGELMAN!

PANIE ILZECKI! CO PAN TU ROBI, W SOSNOWCU?

ILZECKI TO BYŁ MÓJ KLIENT – NAJLEPSZY KRAWIEC NA CAŁE KATOWICE.

POSZEDŁEM PO SKLEPACH, CO MI BYŁY WINNE DŁUGI JESZCZE SPRZED WOJNY...

ALE NIE MOGĘ CI ZAPŁACIĆ! MÓJ SKLEP NALEŻY TERAZ DO NIEMCA. MAM DOBRZE, ŻE W OGÓLE MI TU POZWALA PRACOWAĆ!

DO PANA ILZECKIEGO.

TAK WIĘC JUŻ NA PIERWSZY TYDZIEŃ OD POWROTU DO DOMU ZAROBIŁEM TROCHĘ ŁADNYCH ZŁOTYCH.

NIEMCY MNIE TU PRZENIEŚLI, SZYJĘ DLA NICH OFICERSKIE MUNDURY... A NA BOKU GARNITURY, JAK DOSTANĘ MATERIAŁ.

A PAN JEST NADAL W BRANŻY?

SAM NIE WIEM. DOPIERO CO WRÓCIŁEM Z OBOZU JENIECKIEGO.

CÓŻ, JAK PAN BĘDZIE MIAŁ JAKIEŚ TKANINY, TO PRZYCHODŹ PAN, JAK PAN POKAŻE TĘ KARTKĘ, CIEĆ PANA WPUŚCI.

TAM BYŁO, ŻE JA U NIEGO PRACUJĘ. TAKI PAPIER MÓGŁ SIĘ CZŁOWIEKOWI PRZYDAĆ.

NO TO SKREDYTUJ MI KILKA METRÓW MATERIAŁU BEZ KARTEK.

DOBRA – TYLKO SCHOWAJ TO POD PŁASZCZ.

TEŚCIOWI, PAMIĘTAM, BARDZO SIĘ Z TYM SPODOBAŁEM.

WIDZICIE, NASZA RODZINA MA PRZYNAJMNIEJ JEDNEGO MĄDREGO CZŁONKA.

ALE JA IM POWIEDZIAŁEM OCZYWIŚCIE TYLKO POŁOWĘ TEGO, CO JA NAPRAWDĘ ZAROBIŁEM. INACZEJ TO ONI BY NIC NIE ZAOSZCZĘDZILI.

ZA PARĘ DNI JA ZNOWU BYŁEM NA MODRZEJOWSKIEJ, PATRZYŁEM ZA MOŻLIWOŚCIĄ, ŻEBY DOSTAĆ BEZ KARTEK JAKIEŚ MATERIAŁY...

...SS ZABLOKOWAŁO CAŁĄ ULICĘ I ONI U KAŻDEGO KONTROLOWALI PAPIERY – ZAŚWIADCZENIA O PRACY.

DO MNIE NIKT O TYM PRZEDTEM NIE MÓWIŁ.

DAŁEM RADĘ ZNIKNĄĆ DO JEDNEGO Z BUDYNKÓW.

ALE ZABRALI CHYBA POŁOWĘ WSZYSTKICH, CO TAM BYLI.

OPOWIEDZIAŁEM WSZYSTKO TEŚCIOWI...

O MAŁO MNIE NIE ZŁAPALI! OBAWIAM SIĘ, ŻE ŚWISTEK OD ILZECKIEGO MI NIE WYSTARCZY!

TO PRAWDA.

CHODŹ... ODWIEDZIMY ZNAJOMEGO, CO PROWADZI SKLEP ŻELAZNY. ZDAJE SIĘ, ŻE MA NADZORCĘ, KTÓRY DAJE SIĘ PRZEKUPIĆ.

WIĘC MY POSZLIŚMY...

DOBRA, WŁADEK... PRODUKUJEMY TOWAR DO NIEMIEC, WIĘC MOŻEMY CI ZAŁATWIĆ AUSWAJS PIERWSZA KLASA.

W RAZIE ŁAPANKI, PAMIĘTAJ – WTEDY BIEGNIJ TU DO NAS I UDAWAJ, ŻE TY COŚ ROBISZ.

NAUCZYŁEM SIĘ TAM, JAK ROBIĆ RZECZY, CO BARDZO MI SIĘ PRZYDAŁY, JAK TRAFIŁEM DO AUSCHWITZ.

I TAK JESZCZE PRZE-
ŻYLIŚMY WIĘCEJ NIŻ
ROK. ALE SPRAWY
BYŁY PO TROCHU CORAZ
GORZEJ...

TEŚĆ MIAŁ PIĘKNĄ, NOWĄ SYPIALNIĘ...

NIEMCY BYLI ŁAKOMI NA TAKIE MEBLE, CO WIĘCEJ, ŻE
W SKLEPACH NIE BYŁO JUŻ TAKICH RZECZY DO DOSTANIA.

JA I WOLFI WSZYSTKO, CO MIAŁO TROCHĘ WARTOŚ-
CI, ZANIEŚLIŚMY NA DÓŁ, DO SĄSIADA POLAKA.

UFF. A TO DRUGIE
ŁÓŻKO ZOSTAWIA-
MY NA GÓRZE?

JA. TEŚCIOWA JEST
ZA BARDZO CHORA.
ONA MUSI MIEĆ
DOBRE ŁÓŻKO.

MATCE ANDZI DOLEGAŁY ŻÓŁCIOWE KAMIENIE.
JAK PRZYSZLI NIEMCY, TO LEŻAŁA W ŁÓŻKU.

PROSZĘ, NIE ZABIE-
RAJCIE JEJ ŁÓŻKA –
PATRZCIE TYLKO, JAKA
ONA JEST CHORA.

CODZIENNIE PRZYCHO-
DZI DO NIEJ LEKARZ.

BYŁ STARY PRZYJACIEL TEŚCIA, CO CZĘSTO
PRZYCHODZIŁ NA KARTY.

...W KOŃCU ONI
POSZLI I NICZEGO
NIE ZABRALI!

TY WIESZ, JA POZNA-
ŁEM NIEMIECKIEGO
URZĘDNIKA. ON MOŻE
DOBRZE ZAPŁACIĆ ZA
SYPIALNIANY KOMPLET...

Z POCHOWANYCH MEBLI BRAKOWAŁO POŻYTKU, WIĘC
WNOSILIŚMY JE ZNOWU NA GÓRĘ, ŻEBY SPRZEDAĆ.

MA PAN ŚWIETNY SMAK W DOBORZE
MEBLI, HERR ZYLBERBERG. JESTEM
BARDZO WDZIĘCZNY.

MOI LUDZIE ZARAZ WRÓCĄ PO ŁÓŻKO
PAŃSKIEJ ŻONY!...

POPRZEDNIO OSZUKAŁEŚ NAS, ŻYDZIE!

CHWILECZKĘ! NIE DOSTAŁEM ZAPŁATY.

PROSZĘ, JEŚLI CHCE PAN
POZOSTAĆ PRZY ŻYCIU,
TO WRACAJ
PAN DO
ŚRODKA!

ON TAKI BYŁ Z TEGO NIESZCZĘŚLIWY, TAKI
NIESZCZĘŚLIWY!

RAZ SZEDŁEM DO ILZECKIEGO. TO BYŁO CHYBA NA ZAKOŃCZENIE 1941 R. ON ZAMIESZKIWAŁ TUŻ OBOK DWORCA...

...A TAM SIĘ WŁAŚNIE ODBYWAŁO COŚ STRASZNEGO.

JA MUSIAŁEM TAMTĘDY PRZEJŚĆ – A TAM BYŁA ŁAPANKA NA ŻYDÓW, Z PAPIERAMI, CZY BEZ!

TO CO JA MIAŁEM ROBIĆ?

JAK JA PÓJDĘ POWOLI, NO TO ONI MNIE ZARAZ DOPADNĄ...

JAK JA BĘDĘ BIEGŁ, TO ONI MNIE ZASTRZELĄ!

WTEDY ZOBACZYŁEM JAK IDZIE W ODDALI ILZECKI, WIĘC ZARAZ DO NIEGO PODBIEGŁEM.

HALO!

PANIE SZPIGELMAN! CO PAN TU ROBISZ? CZY PAN NIE WIDZISZ, CO SIĘ TUTAJ WYRABIA?

SZYBKO – CHODŹ PAN DO MNIE NA GÓRĘ, ZANIM TE POCIĄGI NIE ODJADĄ.

ILZECKI ZAMIESZKIWAŁ BARDZO LUKSUSOWĄ KAMIENICĘ. BYŁ TAM JEDYNYM ŻYDEM.

Z NIM I JEGO ŻONA JA PRZESIEDZIAŁEM TAM DOBRE PARĘ GODZIN. MOGLIŚMY SŁYSZEĆ STRZAŁY I KRZYKI.

I ON MI WTEDY URATOWAŁ MOJE ŻYCIE.

ILZECKI MIAŁ SYNA TEGO SAMEGO WIEKU, CO RYSIU, TY SOBIE NIE MOŻESZ WYOBRAZIĆ, JAK SIĘ TYM DZIECIOM ŁADNIE ZE SOBĄ BAWIŁO.

POSŁUCHAJ, WŁADEK...

NIE WIADOMO, CO SIĘ STANIE Z **NAMI** – ALE MUSIMY **ZABEZPIECZYĆ** NASZE DZIECI.

MAM DOBREGO PRZYJACIELA, POLAKA, KTÓRY ZGODZIŁ SIĘ UKRYĆ MOJEGO SYNA AŻ SIĘ SYTUACJA NIE POPRAWI.

...JA MYŚLĘ, ŻE ON BY TEŻ WZIĄŁ I TWOJEGO.

TAK, PEWNIE MASZ RACJĘ! POZWÓL, NIECH POROZMAWIAM Z RODZINĄ.

ALE JA CI MÓWIĘ, JAK TYLKO O TYM NAPOMNIAŁEM W DOMU, TO SIĘ ZARAZ DZIAŁY RZECZY **STRASZNE**.

CO? CZYŚ TY **OSZALAŁ**?

JAK CI MOGŁO W OGÓLE PRZEJŚĆ PRZEZ GŁOWĘ, ŻEBY ODDAĆ RYSIA KOMPLETNIE OBCYM LUDZIOM?!

NIGDY NIE ODDAM DZIECKA. NIGDY!

ILZECKI I JEGO ŻONA NIE PRZEŻYLI WOJNY.

...ALE ICH SYN OCALAŁ ŻYWY A NASZ NIE.

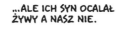

...A MY I TAK ROK POTEM MUSIELIŚMY RYSIA ODDAĆ, ŻEBY GO UKRYLI.

85

WSZYSTKIE NASZE 12 OSÓB RODZINY DOSTAŁY TERAZ DO MIESZKANIA 2,5 MAŁEGO POKOIKA...

KILKA NASTĘPNYCH DNI JA SIĘ BAŁEM WYJŚĆ... NIE CHCIAŁEM TAM PRZECHODZIĆ, GDZIE ONI WISIELI.

A MOŻE JAKIŚ Z NICH PRÓBOWAŁ, ŻEBY SIĘ URATOWAĆ I POWIEDZIAŁ COŚ NIEMCOM O MNIE.

ACH. JAK JA O NICH MYŚLĘ NAWET DZIŚ, TO MI SIĘ CHCE PŁAKAĆ... TY PATRZ – NAWET MOJE SZTUCZNE OKO ŁZY WYLEWA!

A CO SIĘ W TYM CZASIE DZIAŁO Z ANDZIĄ?

PRACE DOMOWE... ROBIENIE NA DRUTACH... CZYTANIE... NO I ONA CIĄGLE PISAŁA DO PAMIĘTNIKA.

PAMIĘTAM Z DZIECIŃSTWA, ŻE W DOMU BYŁY RÓŻNE ZESZYTY ZAPISANE PO POLSKU. TO BYŁY TE JEJ PAMIĘTNIKI?

I TAK, ALE I NIE.

JEJ PAMIĘTNIKI Z WOJNY NIE OCALAŁY. TO, CO TY WIDZIAŁEŚ, TO ONA NAPISAŁA PÓŹNIEJ: CAŁĄ SWOJĄ HISTORIĘ OD POCZĄTKU.

O MÓJ BOŻE! GDZIE ONE TERAZ LEŻĄ? SĄ MI POTRZEBNE DO TEJ KSIĄŻKI!

UCH! JA CIEBIE PROSZĘ, ARTIE, TY PRZESTAŃ TO PALENIE, BO JA SIĘ UDUSZĘ.

JA MYŚLĘ, ŻE TO PRZEZ TO CAŁE PEDAŁOWANIE!

TY TAKI NIE BĄDŹ MĄDRY! ...O CZYM TO JA CI OPOWIADAŁEM? TAK... JA PO TAMTEJ EGZEKUCJI POSZUKAŁEM SOBIE INNEGO ZAJĘCIA...

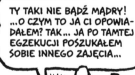

ZABRAŁEM SIĘ HANDLOWAĆ ZE ZŁOTEM I BIŻUTERIĄ.

TAKI TOWAR BYŁ LEPSZY, ŻEBY GO UKRYĆ, NIŻ ODZIEŻ. MIAŁEM WSZYSTKO POCHOWANE DO WÓZECZKA I TAK TROCHĘ ZAROBIŁEM.

JA JESZCZE CI NIE NAPOMNIAŁEM, ŻE JAKIŚ CZAS MIAŁEM TEŻ INTERES W BRANŻY SPOŻYWCZEJ...

SPOTKAŁEM SZKLARCZYKA, CO ON MIAŁ DUŻY SKLEP NA MODRZEJOWSKIEJ.

TY JESTEŚ ZIĘĆ ZYLBERBERGA, TAK? CHODŹ DO ŚRODKA, ZANIM DESZCZ NIE PRZESTANIE PADAĆ.

TAK SIEDZIELIŚMY I GADALIŚMY, A ON OD CZASU DO CZASU OBSŁUŻYŁ KLIENTA...

PRZYKRO MI – PANI MA ZA MAŁO KARTEK NA ZAKUP PÓŁ KILO CUKRU.

ALE... ONA I TAK WYSZŁA Z PÓŁKILOWĄ TORBĄ. **POCZUŁEM**, ŻE MOGĘ COŚ TU ZDZIAŁAĆ.

MY POROZMAWIALIŚMY JESZCZE TROCHĘ, NA KONIEC ON DAŁ MI PROPOZYCJĘ...

MOŻE MÓGŁBYŚ SPRZEDAĆ MOJE NADWYŻKI GDZIEŚ W OKOLICZNYCH SKLEPIKACH. OCZYWIŚCIE... POD LADĄ.

NOSIĆ COŚ TAKIEGO BYŁO **NIEBEZPIECZNE** – ALE JA MYŚLAŁEM, ŻE MI MOŻE SIĘ UDA.

JAK CZŁOWIEK JEST GŁODNY, TO MU TRZEBA SIĘ ROZGLĄDAĆ ZA INTERESEM...

RAZ MIAŁEM DOSTARCZYĆ KOMUŚ 10 CZY 15 KILO CUKRU...

HALT, ŻYDZIE! CO TAM NIESIESZ?

I CO JA MIAŁEM POWIEDZIEĆ? ZA TO TO JA **NAPRAWDĘ** PÓJŚĆ WISIEĆ!

CUKIER.

...NIOSĘ GO DO MOJEGO SKLEPU SPOŻYWCZEGO.

TO TY MASZ SKLEP?

JA UDAWAŁEM TAK JAKBY WSZYSTKO BYŁO LEGALNE.

ZAPUKAŁEM Z TYŁU DO SKLEPU, GDZIE NIOSŁEM TOWAR...

OTWIERAJ, POLDEK!

MAM TU CUKIER.

?!

I ONI MNIE WTEDY PUŚCILI, NAWET BEZ SPRAWDZENIA MOICH PAPIERÓW!

ALE JAK MY SIĘ PRZENIEŚLIŚMY DO STAREGO SOSNOWCA, TO JUŻ WSZYSTKIE INTERESY SZŁY GORZEJ... JUŻ NIE BYŁO TAK ŁATWO, ŻEBY SIĘ PORUSZAĆ.

ZE SKLEPEM ŻELAZNYM BYŁ KONIEC – TEN WŁAŚCICIEL TO BYŁ OSTATNI ŻYD, CO MU POZWOLILI TAM PRACOWAĆ. WTEDY JA POSZUKAŁEM PRACĘ U STOLARZA NIEMCA.

TAM JUŻ MIELI PRACĘ TEŚĆ I LOLEK, ZA NAPRAWDĘ ŻADNE PIENIĄDZE. I MNIE TO PRZEDTEM BYŁO NA NIC, ALE TERAZ JA POTRZEBOWAŁEM PAPIEREK.

WOLFI MÓGŁ MI ZAŁATWIĆ PRACĘ W GEMEINDE... ALE PCHAĆ SIĘ, GDZIE BIORĄ ŻYDÓW, JA NIE CHCIAŁEM.

A POTEM SIĘ **ZNOWU** ODEZWALI NIEMCY. PRZYSZŁO PISMO...

WSZYSCY ŻYDZI W WIEKU PONAD 70 LAT ZOSTANĄ 10 MAJA 1942 ROKU PRZENIESIENI DO TERESINA W CZECHOSŁOWACJI...

...GDZIE PANUJĄ LEPSZE NIŻ W SOSNOWCU WARUNKI DO OPIEKI NAD LUDŹMI STARSZYMI...

NIE WYGLĄDA TO TAK ŹLE!

JAK W SANATORIUM.

UWAGA

DZIADKOWIE ANDZI BYLI KOŁO DZIEWIĘĆDZIESIĄTKI.

ŻYLIŚMY RAZEM – W RODZINIE – PRZEZ 70 LAT. NIE CHCEMY SIĘ TERAZ ROZDZIELAĆ!

NIE MARTWCIE SIĘ, NIE DAMY IM WAS ZABRAĆ.

MY NIE WIEDZIELIŚMY JESZCZE O AUSCHWITZ – O PIECACH – ALE I **TAK** MIELIŚMY STRACH.

...WIĘC URZĄDZILIŚMY W PODWÓRKU KRYJÓWKĘ, BUNKIER...

PRZEKRÓJ:

SZOPA Z RUPIECIAMI

FAŁSZYWA ŚCIANA

DZIADKOWIE

CHYŁKIEM DONOSILIŚMY IM JEDZENIE, A JAK SIĘ STAWAŁO BEZPIECZNIEJ, TO BRALIŚMY ICH NA TROCHĘ DO DOMU.

ŻYDOWSKA POLICJA PRZYCHODZIŁA DO NAS KILKA RAZY...

WEDŁUG NASZYCH KARTOTEK MIESZKAJĄ TUTAJ PAN I PANI KARMIO. NIE ZGŁOSILI SIĘ DO TRANSFERU.

TAK – RODZICE ŻONY – MIESIĄC TEMU WYJECHALI BEZ SŁOWA.

ŻYDOWSKA POLICJA?

TAK – Z DŁUGIMI PAŁKAMI.

NIEKTÓRZY ŻYDZI TO MYŚLELI TAK: JAK ONI WYDAJĄ DO NIEMCÓW KILKU ŻYDÓW, TO MOŻE URATUJĄ RESZTĘ.

NO, A PRZYNAJ-MNIEJ URATUJĄ SIEBIE.

I ZA MIESIĄC ONI ZNOWU PRZYSZLI DO TEŚCIA.

PANIE ZYLBERBERG, PAN I PAŃSKA ŻONA PÓJDZIECIE Z NAMI.

JAK SIĘ KARMIOWIE NIE POJAWIĄ W CIĄGU 3 DNI, TO WY OBYDWOJE POJEDZIECIE ZAMIAST NICH!

ON MIAŁ JESZCZE TROCHĘ PROTEKCJI W GEMEINDE, WIĘC ZABRALI TYLKO JEGO SAMEGO – BEZ ŻONY.

JAK PRZESIEDZIAŁ KILKA DNI, TO NAM PRZESŁAŁ WIADOMOŚĆ.

ON NAPISAŁ, ŻEBY WYDAĆ DZIADKÓW, ŻE NAWET JAK TERAZ WZIĘLI TYLKO JEGO, TO PRZECIEŻ ZARAZ ZABIORĄ TEŻ ŻONĘ, A PO-TEM CAŁA RESZ-TĘ RODZINY.

NO I CO BYŁO DALEJ?

A CO MIAŁO BYĆ? MUSIELIŚMY ICH WYDAĆ!

ONI MYŚLELI, ŻE JECHALI DO TERESINA.

DAJCIE ZNAĆ, JAK BĘDZIE WAM CZEGO-KOLWIEK POTRZEBA!

A ONI POJECHALI PROSTO DO AUSCHWITZ, DO GAZU.

KIEDY USŁYSZAŁEŚ PO RAZ PIERWSZY O AUSCHWITZ?

MYŚMY SŁYSZELI OD RAZU...

NAWET STAMTĄD – Z TYCH ZAŚWIATÓW – LUDZIE WRACALI I OPOWIADALI. ALE MYŚMY NIE WIERZYLI.

POTEM TAKIE SAME WIEŚCI BYŁY CORAZ CZĘŚCIEJ, WIĘC MYŚMY UWIERZYLI. A POTEM MYŚMY ZOBACZYLI NA SWOJE OCZY... ŻE BYŁO JESZCZE GORZEJ!

PO HISTORII Z DZIADKAMI PARĘ MIESIĘCY BYŁ SPOKÓJ. AŻ NAOKOŁO ZJAWIŁY SIĘ PLAKATY I PRZEMÓWILI DZIAŁACZE Z GEMEINDE...

BRACIA ŻYDZI: W ŚRODĘ, DWUNASTEGO SIERPNIA, KAŻDY Z WAS, MŁODY CZY STARY, MĘŻCZYŹNI I KOBIETY, ZDROWI I CHORZY, ZAMELDUJĄ SIĘ NA STADIONIE...

O NIE!

CO ZNOWU!

...NIE MA POWODU DO PANIKI – CHODZI WYŁĄCZNIE O SPRAWDZENIE I PODSTEMPLOWANIE DOKUMENTÓW, KTÓRE MAJĄ WAS CHRONIĆ, JAKO OBYWATELI NASZEGO OKRĘGU.

JA NIE IDĘ. TO HITLEROWSKA PUŁAPKA.

WSZYSCY WPADLI W NIEPOKÓJ.

...A LUDZIE Z ŻYDOWSKIEGO KOMITETU JESZCZE POMAGAJĄ TYM MORDERCOM. BÓG WIE, CO Z NAMI BĘDZIE NA TYM STADIONIE!

ALE W KILKU OKOLICZNYCH MIASTACH RZECZYWIŚCIE SPRAWDZALI ŻYDOM DOKUMENTY. I NIC SPECJALNEGO SIĘ NIE STAŁO.

TAK, CZY OWAK, MUSIMY TAM PÓJŚĆ. BEZ WAŻNYCH PAPIERÓW ZGINIEMY!

IŚĆ BYŁO NIEDOBRZE. ALE NIE IŚĆ – TEŻ NIE BYŁO DOBRZE.

TRAMWAJEM Z DĄBROWY, MIASTECZKA POŁOŻONE-
GO OKO W OKO SOSNOWCEM, DO MNIE PRZYJECHAŁ
MÓJ 62-LETNI OJCIEC.

JAK MATKA DOSTAŁA RAKA I UMARŁA, POSZEDŁ
MIESZKAĆ DO MOJEJ SIOSTRY FELI Z CZWÓRKĄ
MAŁYCH DZIECI.

MASZ CIASTECZKO, RYSIU, CIOCIA FELA UPIEKŁA JE SPECJALNIE DLA CIEBIE.

PODZIĘKUJ DZIADZIUSIOWI.

WŁADEK, MUSZĘ SIĘ CIEBIE PORADZIĆ, CZY JA MAM IŚĆ W ŚRODĘ NA STADION, CZY SIĘ SCHOWAĆ W DOMU?

NIE WIEM. SAM NIE JESTEM PEWIEN, CO MY MAMY ZROBIĆ. MATKA ANDZI MÓWI, ŻE NIE PÓJDZIE, ONA JEST CHORA I SIĘ BOI.

OJCIEC ANDZI, LOLEK I JA PRZYNAJMNIEJ PRACUJEMY W NIEMIECKIEJ STOLARNI. TO NAS TROSZECZKĘ CHRONI. ALE TY NIE PRACUJESZ. NIE MASZ ŻAD-NYCH PAPIERÓW. NIC!

ALE KUZYN MORDECHAJ MÓWI, ŻE BĘDZIE SIE-DZIEĆ ZA JEDNYM ZE STOŁÓW INSPEKCYJNYCH. MÓGŁBYM PÓJŚĆ Z PAPIERAMI DO NIEGO...

A CO MÓWI FELA?

NIE WIE, CO ROBIĆ... ALE JAK FELA ZDECYDU-JE SIĘ PÓJŚĆ, TO JA OCZYWIŚCIE PÓJDĘ Z NIĄ.

MOGĘ JESZCZE CIASTO?

RYSIU!

JA NAPRAWDĘ NIE WIEDZIAŁEM, CO JEMU RADZIĆ.

ALE WRESZCIE ON POSZEDŁ. LUDZIE BALI SIĘ, ŻEBY NIE IŚĆ.

WIĘC NA STADION PRZYSZLI PRAWIE WSZYSCY ŻYDZI Z SOSNOWCA I Z OKOLICY, JAKIEŚ 25 – 30 000 LUDZI.

WSZYSCY PRZYSZLI BARDZO ŁADNIE UBRANI. KAŻDY CHCIAŁ WYGLĄDAĆ JAK MŁODY I ZDOLNY DO PRACY, ŻEBY JEMU DALI DO DOKUMENTÓW DOBRY STEMPEL.

JAK JUŻ WSZYSCY WESZLIŚMY DO ŚRODKA, TO STADION OTOCZYLI GESTAPOWCY Z MASZYNOWYMI STRZELBAMI.

POTEM SIĘ ZACZĘŁO WYBIERANIE, JEDNYCH WYSYŁALI DO LEWA, DRUGICH DO PRAWA.

USTAWIĆ SIĘ RODZI- NAMI W KOLEJCE DO STOLIKÓW! PRĘDKO!

WSZYSTKICH STARCÓW, RODZI- NY WIELODZIETNE I LUDZI BEZ KARTY PRACY KIERUJĄ NA LEWO!

ZROZUMIELIŚMY, ŻE TAM BARDZO NIEDOBRZE SIĘ ZNALEŹĆ.

JA I ANDZIA POSZLIŚMY DO TEGO STOŁU, GDZIE SIEDZIAŁ MÓJ KUZYN...

A, TY PRACUJESZ W STOLARNI – PRZEJDŹ NA PRAWO.

NO WIĘC ZASTEMPLOWALI NASZE PASZ- PORTY I POMKNĘLIŚMY NA TĘ LEPSZĄ STRONĘ STADIONU. CI, CO ICH POSŁALI DO LEWA, NIE DOSTALI ŻADNEJ PIECZĄTKI.

BYLIŚMY BARDZO UCIESZENI, ŻE SIĘ UDAŁO. ALE ZARAZ ZMARTWIENI, CO SIĘ DZIEJE Z RESZTĄ RODZINY?

PATRZ, TAM JEST TATO Z LOLKIEM I LONIĄ!

WIDZIELIŚMY WOLFEGO I TOSIĘ. JESTEŚMY CHYBA W KOMPLECIE.

A WIDZIELIŚCIE MOJEGO OJCA?

MOJEGO OJCA NIGDZIE NIE MOGŁEM ZNALEŹĆ.

ALE POTEM KTOŚ MI MÓWIŁ, ŻE GO WIDZIAŁ... TEN SAM KUZYN TAK SAMO POSŁAŁ GO NA DOBRĄ STRONĘ.

SZPIGELMAN – NA PRAWO.

POTEM DO STOLIKA PODESZŁA FELA...

JĄ POSŁALI DO LEWA, CZTERY DZIECI TO BYŁO ZA DUŻO.

FELA!

MOJA CÓRKA! JAK ONA MA SOBIE DAĆ RADĘ SAMA Z CZWÓRKĄ DZIECI?

I CO TY POMYŚLISZ? ON SIĘ PRZEKRADŁ NA ZŁĄ STRONĘ!

I CI, CO BYLI PO TAMTEJ STRONIE JUŻ NIGDY NIE WRÓCILI DO DOMU.

TYCH ZE STEMPLAMI PUŚCILI DO DOMU. ALE TERAZ JUŻ ZOSTAŁO W SOSNOWCU BARDZO NIEWIELE ŻYDÓW...

NO... DOSYĆ NA DZISIAJ. TAK, ARTIE?...

JEDEN NA TRZY ZOSTAŁ NA STADIONIE... JAKIEŚ DZIESIĘĆ TYSIĘCY LUDZI – A Z NIMI MÓJ OJCIEC.

UCH – JA SIĘ TROCHĘ PRZEKRĘCIŁEM. ZAWRACA MI SIĘ W GŁOWIE.

MOŻE POŁÓŻ SIĘ NA CHWILĘ.

SKOŃCZYLIŚCIE?

ACHA. OJCIEC SIĘ ZMĘCZYŁ. POSZEDŁ SIĘ ZDRZEMNĄĆ.

WŁAŚNIE OPOWIADAŁ MI O TYM, JAK STEMPLOWALI WAM DOKUMENTY W SOSNOWCU.

NA STADIONIE? TAK... ZABRALI WTEDY MOJĄ MATKĘ.

TRAFIŁA, RAZEM Z WSZYSTKIMI PRZEZNACZONYMI DO TRANSPORTU, DO JEDNEGO Z CZTERECH DOMÓW MIESZKALNYCH, KTÓRE OPRÓŻNIONO, ŻEBY URZĄDZIĆ COŚ W RODZAJU WIĘZIENIA...

UPCHNĘLI TAM TYSIĄCE LUDZI... PANOWAŁ TAKI TŁOK, ŻE NIEKTÓRZY SIĘ DOSŁOWNIE PODUSILI... BEZ JEDZENIA... BEZ TOALET. TO BYŁO STRASZNE.

LUDZIE WYSKAKIWALI Z OKIEN, ŻEBY TROCHĘ UKRÓCIĆ SWOJĄ MĘKĘ.

BOŻE.

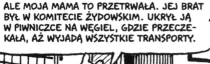

ALE MOJA MAMA TO PRZETRWAŁA. JEJ BRAT BYŁ W KOMITECIE ŻYDOWSKIM. UKRYŁ JĄ W PIWNICZCE NA WĘGIEL, GDZIE PRZECZEKAŁA, AŻ WYJADĄ WSZYSTKIE TRANSPORTY.

POTEM STRYJ MI ZAŁATWIŁ PRACĘ PRZY SPRZĄTANIU PO TAMTYCH LUDZIACH – WYMIOCINY! EKSKREMENTY! – ZALEGAJĄCE WE WSZYSTKICH MIESZKANIACH. I UDAŁO MI SIĘ JĄ STAMTĄD PRZESZMUGLOWAĆ.

A POTEM W KOŃCU MATKA RAZEM Z OJCEM TRAFILI DO AUSCHWITZ I TAM ZGINĘLI.

DOKĄD TY IDZIESZ? NIE WYPIŁEŚ SWOJEJ KAWY.

WŁAŚNIE COŚ MI SIĘ PRZYPOMNIAŁO. OJCIEC WSPOMNIAŁ, ŻE ANDZIA PROWADZIŁA DZIENNIKI, A JA PAMIĘTAM **JAK PRZEZ MGŁĘ**, ŻE WIDZIAŁEM JE NA REGALE W BIBLIOTECE.

WĄTPIĘ, MUSIAŁABYM JE ZAUWAŻYĆ.

CÓŻ, JEST TAM TYLE SZPARGAŁÓW, ŻE CHYBA WARTO SPRÓBOWAĆ.

POPATRZ TYLKO!... STARE JADŁOSPISY, KTÓRE ZACHOWAŁ Z REJSÓW STATKAMI... PLIK PAPETERII Z PINES HOTEL...

NIESAMOWITE! CZTERY KALENDARZE DRY DOCK SAVINGS BANK Z 65 ROKU... ZAŁOŻĘ SIĘ, ŻE NAWET NIE MIAŁ TAM RACHUNKU.

ON MNIE DOPROWADZA DO OBŁĘDU! NIE POZWOLIŁ WYRZUCIĆ NAWET PLASTIKOWEGO KUBKA, KTÓRY W ZESZŁYM ROKU PRZYNIÓSŁ ZE SZPITALA!

ON PRZYWIĄZUJE SIĘ BARDZIEJ DO RZECZY NIŻ DO LUDZI!

NIE WIEM, JAK DŁUGO DAM RADĘ GO ZNOSIĆ. DOPRAWDY, NIE MAM POJĘCIA.

WRÓCĘ JUŻ DO DOMU. POSZUKAM TYCH DZIENNIKÓW NASTĘPNYM RAZEM.

CZEKAJ!

UŁÓŻ WSZYSTKO Z POWROTEM DOKŁADNIE TAK JAK BYŁO, BO ON INACZEJ MNIE ZAMĘCZY!

DOBRA... DOBRA... SPOKOJNIE.

MNF?

HALO, ARTIE? JA CI MÓWIĘ, ŻE JA JUŻ NIE WIEM, CO MAM ROBIĆ Z TYM TWOIM OJCEM – ON PRZED CHWILĄ WLAZŁ NA DACH!...

UNH? MALA?

UPARŁ SIĘ, ŻE NAPRAWI RYNNĘ I DOSTAŁ ZAWROTÓW GŁOWY! TYLKO JAKIMŚ CUDEM UDAŁO MI SIĘ GO SPROWADZIĆ NA DÓŁ!

KTÓRA TO GODZINA?

A TERAZ ON CHCE SIĘ TAM GRAMOLIĆ Z POWROTEM! CO JA MAM ROBIĆ?!

NIE KRZYCZ, PROSZĘ.

CZEMU NIE WEZWIECIE JAKIEGOŚ MAJSTRA? JEZU, MALA, JEST DOPIERO 7:30. FRANÇOISE I JA POSZLIŚMY SPAĆ O 4:00! WIECIE, ŻE NIE WSTAJEMY PRZED –

HALO? ARTIE? MÓWI TATA.

JA TOBIE MÓWIE, MNIE MALA DOPROWADZA DO MESZUGA! JA BYM CHCIAŁ, ŻEBYŚ MOŻE TY PRZYJECHAŁ TU ZARAZ NA QUEENS I MNIE POMÓGŁ.

CO TAKIEGO? TY CHYBA ŻARTUJESZ!

KIEDY JA BYŁEM MŁODY, TO JA SAM MOGŁEM ZAŁATWIĆ TAKIE SPRAWY. ALE DZIŚ, MÓJ KOCHANY, JA POTRZEBUJĘ PRZY TEJ RYNNIE, ŻEBYŚ TY MI POMÓGŁ!

MM – SŁUCHAJ, TATO. NAPIJĘ SIĘ TYLKO KAWY I ZARAZ POTEM ODDZWONIĘ.

UFF. MOŻE MI SIĘ TO ŚNIŁO.

CO TAM? ZNOWU TWÓJ OJCIEC?

AHA. CHCE, ŻEBYM MU POMÓGŁ NAPRA-WIĆ DACH, CZY COŚ TAKIEGO. CHOLERA! JUŻ W DZIECIŃSTWIE NIE CIERPIAŁEM MU POMAGAĆ PRZY DOMOWYCH NAPRAWACH.

UWIELBIAŁ SIĘ POPISYWAĆ, JAKI TO ON JEST **ZARADNY**... A COKOLWIEK **JA** BYM ZROBIŁ, BYŁO ŹLE. PRZEZ NIEGO DOSTAŁEM KOM-PLETNEJ NERWICY NA PUNKCIE DOMO-WYCH NAPRAW.

NA PRZYKŁAD, ZANIM SIĘ TUTAJ WPROWA-DZILIŚMY, NIE MIAŁEM NAWET MŁOTKA!

JEDEN Z POWODÓW, DLA KTÓRYCH ZOSTAŁEM RYSOW-NIKIEM, TO ŻE ON UWAŻAŁ, ŻE TO NIEPRAKTYCZNE – ZWYKŁA STRATA CZASU...

...BYŁ TO TEREN, NA KTÓRYM NIE MUSIAŁEM Z NIM WSPÓŁ-ZAWODNICZYĆ.

WIĘC... CZY JEDZIESZ NA QUEENS?

O, NIE – TO JA JUŻ WOLĘ POCZUCIE WINY! POZA TYM, JESTEM ZAJĘTY, A JEGO NAPRAWDĘ STAĆ, ŻEBY KOGOŚ WYNAJĄĆ.

CZEŚĆ TATO, POSŁUCHAJ... W SPRAWIE RYNNY... OBAWIAM SIĘ, ŻE NIE MOGĘ PRZYJECHAĆ. JA-

NIE MA KŁO-POTU ARTIE...

JA DOPIERO MÓWIŁEM Z FRANKIEM, MOIM SĄSIADEM, ON SIĘ ZGODZIŁ, ŻEBY MI POMÓC NA WEEKEND.

ŚWIETNIE.

TAK. NO LEPIEJ BY BYŁO TO NAPRAWIĆ ZARAZ DZIŚ – ALE PRZYNAJMNIEJ **KTOŚ** CHCE MI POMÓC!

TO ŚWIETNIE.

Około tygodnia później, wczesnym południem...

CZOŁEM, TATO. CO TY TU ROBISZ W GARAŻU?

JA MAM TU ZAWSZE **COŚ**, CO MUSZĘ ZROBIĆ. TERAZ ODKŁADAM STARE GWOŹDZIE – ODDZIELAM DŁUGIE I KRÓTKIE.

CZY DACH JUŻ NAPRAWIONY?

TAA – FRANK, CO MIESZKA OBOK W KOŃCU PRZYSZEDŁ I NAPRAWILIŚMY RAZEM.

AM... CZY MOGĘ CI JAKOŚ POMÓC PRZY TYCH GWOŹDZIACH?

NIE...

TAKIE RZECZY BEZ TRUDU RADZĘ SOBIE SAM.

AM... WSZYSTKO W PORZĄDKU?

NA? TY WIESZ, ŻE TERAZ W MOIM ŻYCIU WSZYSTKO **NIE MOŻE** BYĆ W PORZĄDKU!

TY IDŹ JUŻ NA GÓRĘ. JA W KILKA MINUT PRZYJDĘ, JAK TYLKO TUTAJ SKOŃCZĘ.

DOBRA.

CZEŚĆ, MALA.

OJ! ALEŚ MNIE WYSTRASZYŁ, ARTIE. MOJE NERWY SĄ NA WYKOŃCZENIU, A WSZYSTKO PRZEZ TWOJEGO OJCA.

WIDZIAŁEM GO PRZED CHWILĄ NA DOLE I WYDAŁ MI SIĘ CZEGOŚ OBRAŻONY... MYŚLISZ, ŻE JEST ZŁY, BO NIE PRZYJE- CHAŁEM POMÓC PRZY TEJ RYNNIE?

NIE SĄDZĘ.

CHOĆ TO FAKT, ŻE ON JUŻ NIE DAJE RADY Z UTRZYMANIEM DOMU W PO- RZĄDKU. WCIĄŻ MU POWTARZAM, ŻEBY SPRZEDAĆ TEN DOM I KUPIĆ MIESZKANIE W MIAMI.

WYGLĄDA NA PODŁA- MANEGO.

MOŻE TO PRZEZ TEN TWÓJ STARY KOMIKS – TEN O TWOJEJ MATCE?

CO?

WŁADEK ZOBACZYŁ TO PO RAZ PIERWSZY KILKA DNI TEMU.

A SKĄD TY WIESZ O „WIĘŹNIU PIEKIEL- NEJ PLA- NETY"?

MOJA PRZYJACIÓŁKA RUTHIE MA SYNA W COLLEGE'U I ON CZYTA WSZYSTKIE KOMIK- SY. POKAZAŁ JEJ, A ONA PRZYNIOSŁA TO MNIE.

CHOLERA!...

POMYŚLAŁAM, ŻE TWOJEGO OJCA BY TO ZMARTWIŁO, WIĘC SCHOWAŁAM, ALE JAKOŚ WPADŁO MU TO W RĘCE.

RYSOWAŁEM TO WIELE LAT TEMU.

TO SIĘ UKAZAŁO W MAŁYM POD- ZIEMNYM WYDAWNICTWIE. NIGDY BYM NIE POMYŚLAŁ, ŻE WŁADEK TO ZOBACZY.

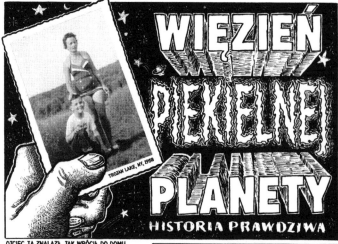

WIĘZIEŃ PIEKIELNEJ PLANETY
HISTORIA PRAWDZIWA

TROJAN LAKE, NY, 1968

W 1968, KIEDY MIAŁEM 20 LAT, MOJA MATKA POPEŁNIŁA SAMOBÓJSTWO – I NIE ZOSTAWIŁA ŻADNEGO LISTU!

6 FT.

5 FT. 6 IN.

5 FT.

4 FT.

OJCIEC JĄ ZNALAZŁ, JAK WRÓCIŁ DO DOMU Z PRACY... MIAŁA POCIĘTE PRZEGUBY, A OBOK LEŻAŁA PUSTA FIOLKA PO PIGUŁKACH...

MIESZKAŁEM Z RODZICAMI. PARĘ MIESIĘCY WCZEŚNIEJ BYŁ TO WARUNEK ZWOLNIENIA MNIE ZE STANOWEGO ZAKŁADU PSYCHIATRYCZNEGO.

WŁAŚNIE WRACAŁEM Z WEEKENDU, KTÓRY SPĘDZIŁEM Z MOJĄ DZIEWCZYNĄ, ISABELLĄ. (RODZICE JEJ NIE LUBILI.) BYŁEM JUŻ BARDZO SPÓŹNIONY...

OJ, GOTT!

SUBWAY

GDYBYM BYŁ WRÓCIŁ O USTALONEJ PORZE, TO WTEDY JA BYM ZNALAZŁ JEJ CIAŁO...

63-12

KIEDY UJRZAŁEM TEN TŁUM, ŚCISNĄŁ MNIE STRACH... PRZECZUWAŁEM NAJGORSZE, ALE NIE DOPUSZCZAŁEM DO SIEBIE TEJ MYŚLI!

POJAWIŁ SIĘ KUZYN, KTÓRY ODCIĄGNĄŁ MNIE NA BOK.

PÓJDZIEMY DO LEKARZA... TWOJA MATKA JEST – ACH – CHORA! DOKTOR CI WYTŁUMACZY...

DOKTOR ORENS MIESZKAŁ NIEOPODAL...

SIĄDŹ, ARTURZE... POMYŚLAŁEM, ŻE TO CHYBA JA MUSZĘ CI TO POWIEDZIEĆ...

TWOJA MATKA SIĘ ZABIŁA – NIE ŻYJE!

NIE MOGŁEM JUŻ DŁUŻEJ UNIKAĆ PRAWDY – SŁOWA DOKTORA KLEKOTAŁY MI W GŁOWIE... CZUŁEM SIĘ ZAGUBIONY, WŚCIEKŁY, ODRĘTWIAŁY!... WŁAŚCIWIE TO NIE CHCIAŁO MI SIĘ PŁAKAĆ, ALE DOSZEDŁEM DO WNIOSKU, ŻE POWINIENEM!...

ONA NIE ŻYJE! SAMOBÓJSTWO!

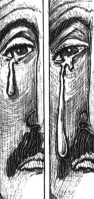

NO, NO, CHŁOPCZE...

NIE, NIECH PŁACZE – TO MU DOBRZE ZROBI!

POSZLIŚMY DO DOMU... OJCIEC SIĘ KOMPLETNIE ROZKLEIŁ!...

OJ, ARTIE! CZEMU? CZEMU! CO ZA TRAGEDIA! BEZ JEDNEGO SŁOWA!!!

TO JA MIAŁEM POCIESZAĆ **JEGO**!

MAMO... MAMO...

JAKOŚ UDAŁO SIĘ ZAŁATWIĆ FORMALNOŚCI POGRZEBOWE.

A ZA 950$ OFERUJEMY TRUMNĘ Z BRĄZU, WYKŁADANĄ BRĄZOWYM AKSAMITEM... OCZYWIŚCIE ZA 2 000$ MOŻEMY...

PROTECT WHAT YOU HAVE

TA NOC BYŁA OKROPNA... OJCIEC UPARŁ SIĘ, ŻEBYŚMY SPALI NA PODŁODZE – TO CHYBA STARY ŻYDOWSKI ZWYCZAJ. TRZYMAŁ SIĘ MNIE I JĘCZAŁ PRZEZ CAŁĄ NOC. BYŁO MI NIEWYGODNIE. BYLIŚMY PRZERAŻENI!

W ZAKŁADZIE POGRZEBOWYM BYŁO JESZCZE GORZEJ.

יתגדל ויתקדש שמה רבא בעלמא-

OJCIEC OPANOWYWAŁ SIĘ Z NAJWYŻSZYM TRUDEM I MOD... SIĘ. BYŁEM WÓWCZAS NA NIEZŁYM ODLOCIE – RECYTOWAŁ... DLA MATKI Z TYBETAŃSKIEJ KSIĘGI ZMARŁYCH!

די ברא כרעותה וימליך.....

„SZLACHETNIE URODZENI W SW... PODRÓŻY PRZEZ BEZKSZTAŁTN... PUSTKĘ PAMIĘTAJCIE O JEDNO... WSZYSTKICH ŻYWYCH ISTOT"...

ANNA ANNA AN

TEGO JUŻ BYŁO ZA WIELE – MUSIAŁEM WYJŚĆ...

A ANN

W KORYTARZU ODSZUKAŁ MNIE JEDEN Z PRZYJACIÓŁ DOMU...

TERAZ PŁACZESZ! TRZEBA BYŁO PŁA-KAĆ, KIEDY JESZCZE MATKA BYŁA ŻYWA!

POCZUŁEM MDŁOŚCI... OGARNĘŁO MNIE PRZYTŁACZAJĄCE POCZUCIE WINY!

NASTĘPNY TYDZIEŃ UPŁYNĄŁ NA ŻAŁOBIE. PRZYJACIELE MOJEGO OJCA WRAZ Z KON-DOLENCJAMI NIEODMIENNIE OKAZYWALI MI WROGOŚĆ.

...ALE WIĘKSZOŚĆ CZASU SPĘDZAŁEM SAM NA SAM ZE SWOIMI MYŚLAMI..

PRZYSZŁA DO MOJEGO POKOJU... BYŁA NOC...

...ODWRÓCIŁEM SIĘ, POCZUŁEM SIĘ URAŻONY TYM JEJ NAPINANIEM PĘPOWINY.

A WIĘC, MAMO, JEŚLI MNIE SŁYSZYSZ...

© art spiegelman, 1972

HA, DZIWIĘ SIĘ, ŻE WŁADEK TO **PRZECZYTAŁ**, JAK TO ZNALAZŁ. ON NIGDY NIE CZYTA KOMIKSÓW...

NIGDY NIE SPOJRZY NA MOJE PRACE, NAWET JAK MU COŚ PODTYKAM POD SAM NOS.

ALE TEN NIE JEST JAK INNE KOMIKSY...

MÓWIĘ CI, JAK RUTHIE MI TO POKAZAŁA, TO MYŚLAŁAM, ŻE **ZEMDLEJĘ**, TAKA BYŁAM ZSZOKOWANA. TO JEST TAK... TAK **OSOBISTE**!

...ALE I BARDZO WIERNE... OBIEKTYWNE. SPĘDZIŁAM TU MNÓSTWO CZASU POMAGAJĄC PO POGRZEBIE ANDZI, BYŁO DOKŁADNIE TAK, JAK NAPISAŁEŚ.

NO, ARTIE. CZEKAM.

CHODŹ, PRZEJDZIEMY SIĘ RAZEM DO BANKU.

MALA POWIEDZIAŁA MI WŁAŚNIE, ŻE WIDZIAŁEŚ MÓJ KOMIKS... TEN O MAMIE.

TAK. WPADŁO MI TO DO RĘKI, JAK SZUKAŁEM RZECZY, CO MNIE PROSIŁEŚ POPRZEDNIO. HUU! ZOBACZYŁEM ZDJĘCIE MAMY, WIĘC PRZECZYTAŁEM... I JA SIĘ POPŁAKAŁEM.

JA – JA... JEST MI PRZYKRO.

TO DOBRZE, ŻE WYRZUCIŁEŚ TO Z SIEBIE. ALE U MNIE TO OŻYWIŁO TAK WIELE **WSPOMNIEŃ** O ANDZI.

OCZYWIŚCIE I **TAK** JA PRZEZ CAŁY CZAS O NIEJ MYŚLĘ.

TAK, TRZYMASZ PEŁNO JEJ ZDJĘĆ NA BIURKU – ROBISZ JEJ OŁTARZYK!

A CO JA MAM ZROBIĆ, MALA? JA MAM JE RZUCIĆ W ŚMIECI? TWOJE ZDJĘCIE **TEŻ** STOI U MNIE NA BIURKU!

ACH! JA NIE CHCĘ TWOICH UPRZEJMOŚCI!

CZY TY WIDZISZ, CO JA Z NIĄ MAM? CO JA NIE ZROBIŁ, TO BĘDZIE ZŁE.

ZNALAZŁEŚ PAMIĘTNIK MAMY?

MNIE SIĘ NA RAZIE NIE POWIODŁO. SZUKAM, ALE NIE MOGĘ ZNALEŹĆ.

MUSZĘ TO MIEĆ!

NA NASTĘPNY RAZ TO JA ZNOWU POSZUKAM. ALE TERAZ TO MY IDŹMY LEPIEJ DO BANKU.

DOBRA.

...JA CHODZĘ W KAŻDY DZIEŃ, JAK NIE TO KREW MI ŹLE PRZEPŁYWA I MOJE NOGI MI ŚCIERPNĄ... TO JEST COŚ STRASZNEGO, JA NIE MOGĘ PRZEZ TO SPAĆ.

ALE PRZEZ SERCE TO JA MUSZĘ CHODZIĆ WOLNO.

CO SIĘ DZIAŁO Z TOBĄ I ANDZIĄ PO TEJ WIELKIEJ SELEKCJI NA STADIONIE?

NO, JAKIŚ CZAS BYŁ KOMPLETNY SPOKÓJ. POTEM, W 1943, BYŁ ROZKAZ: WSZYSCY ŻYDZI, CO ZOSTALI W SOSNOWCU, MAJĄ SIĘ WYNIEŚĆ ZA MIASTO, NA STARĄ WIOSKĘ, CO SIĘ NAZYWAŁA ŚRODULA.

A POLAKOM ZE ŚRODULI MY ŻYDZI MUSIELIŚMY ZAPŁACIĆ, ŻEBY ONI SIĘ PRZENIEŚLI W NASZE DOMY DO SOSNOWCA... A TU NA ŚRODULI MIAŁO BYĆ NASZE GETTO JUŻ NA ZAWSZE.

NASZEJ RODZINIE DOSTAŁA SIĘ CHATA – BARDZIEJ MAŁO MIEJSCA NIŻ DOTĄD, ALE PRZYNAJMNIEJ BYŁO GDZIE MIESZKAĆ. WIELU MUSIAŁO SPAĆ PO ULICACH.

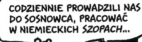

CODZIENNIE PROWADZILI NAS DO SOSNOWCA, PRACOWAĆ W NIEMIECKICH SZOPACH...

ANDZIA, ZE SIOSTRĄ TOSIĄ, PRACOWAŁY W ZAKŁADZIE TEKSTYLNYM...

A MNIE, RAZEM Z MOIM BRATANKIEM LOLKIEM, DALI NA SZOP CIESIELSKI.

KAŻDEGO DNIA STRAŻE POGANIAŁY NAS PRZEZ PÓŁTOREJ GODZINY NA NOGACH DO PRACY.

STRAŻE TO BYLI ŻYDZI Z DŁUGIMI PAŁKAMI. ONI ZACHOWYWALI SIĘ DOKŁADNIE TAK SAMO, JAK NIEMCY.

...I ONI KAŻDY WIECZÓR GONILI NAS Z POWROTEM, LICZYLI I ZNOWU ZAMYKALI.

WŁADEK! LOLEK! GOŃCIE DO DOMU!

ANDZIU! CO SIĘ DZIEJE?

PRZYJECHAŁ DO NAS PERSIS, WUJEK WOLFIEGO!

Z ZAWIERCIA?

TAK. ON TAM JEST GRUBA FISZA... JEST SZEFEM ICH RADY ŻYDOWSKIEJ.

MÓWI, ŻEBY WOLFI, TOSIA I BIBI JECHALI Z NIM MIESZKAĆ DO ZAWIERCIA.

...SŁYSZELIŚCIE WSZYSCY CO MÓWIĄ O AUSCHWITZ. STRASZLIWE, NIEWIARYGODNE HISTORIE.

TO NIE MOŻE BYĆ!

JEDNO JEST PEWNE – W GETCIE RZECZY SIĘ MAJĄ BARDZO ŹLE, ALE WYWÓZKA JEST JESZCZE GORSZA.

PROSZĘ! MÓWIĆ O TYM PRZYNOSI NIESZCZĘŚCIE!

POSŁUCHAJCIE MNIE. WY TU NIE MACIE ŻADNYCH DOJŚĆ. W ZAWIERCIU JA JESTEM USTOSUNKOWANY, MAM KONTAKTY Z NIEMCAMI... MOGĘ ICH PRZEKUPIĆ.

MÓJ OJCIEC, KTÓRY MA 90 LAT, DALEJ MIESZKA Z NAMI... ZAWSZE JAK JEST ŁAPANKA, JEGO BEZPIECZEŃSTWA PILNUJE SPECJALNY SS-MAN!

DZIEWIĘĆDZIESIĄT! BYŁ ROK 1943! JUŻ W OGÓLE NIE ZOSTAŁO ŻYDÓW, CO BY MIELI 90 LAT!

PERSIS BYŁ BARDZO PORZĄDNY CZŁOWIEK – NIE JAK MONIEK MERIN, PREZES NASZEGO GETTO, CO TROSZCZYŁ SIĘ TYLKO SAM O SIEBIE. PERSIS PRÓBOWAŁ NAPRAWDĘ POMÓC SWOIM ŻYDOM.

MOGĘ ZAŁATWIĆ PAPIERY, ŻEBY ZABRAĆ DO SIEBIE WOLFEGO, TOSIĘ I BIBI – I MOŻE JESZCZE MAŁĄ LONIĘ I RYSIA, JEŚLI SIĘ ZGODZICIE.

TAK. TAM IM BĘDZIE LEPIEJ.

WIDZISZ – JA CHCIAŁEM WYSŁAĆ RYSIA W BEZPIECZNE MIEJSCE JUŻ ROK TEMU – Z DZIECKIEM ILZECKIEGO!

ALE TERAZ JEST DUŻO GORZEJ, WŁADEK, NIE MAMY WYBORU!

NIE! MUSIMY TRZYMAĆ SIĘ RAZEM! WYTRWLIŚMY TYLE, TO I TERAZ BÓG NAS NIE OPUŚCI!

MATKA! TY MYŚL REALNIE!

DO ANDZI MATKI FAKTY MÓWIŁY SŁABO. ALE W KOŃCU I ONA SIĘ ZGODZIŁA.

WIĘC PERSIS POZAŁATWIAŁ I ZNÓW PRZYJECHAŁ NA ŚRODULĘ.

I ZABRAŁ ZE SOBĄ WOLFIEGO, TOSIĘ I BIBI,

SIOSTRZYCZKĘ LOLKA, LONIĘ

I NASZEGO MAŁEGO RYSIA.

MYŚMY ZA NIMI PATRZYLI, AŻ ONI ZNIKLI Z NASZYCH OCZU...

WIDZIELIŚMY ICH OSTATNI RAZ. ALE MY TEGO WIEDZIEĆ WTEDY NIE MOGLIŚMY.

KIEDY W **NASZYM** GETTO BYŁO BARDZIEJ ŹLE, ZAWSZE MÓWILIŚMY: DZIĘKI BOGU, ŻE DZIECI MAJĄ BEZPIECZNIE U PERSISA.

JEDNEGO DNIA W TAMTĄ WIOSNĘ NIEMCY WYWIEŹLI ZE ŚRODULI DO AUSCHWITZ WIĘCEJ NIŻ 1000 LUDZI.

BRALI PRZEDE WSZYSTKIM DZIECI – NIEKTÓRE 2-3-LETNIE.

NIEKTÓRE DZIECIAKI SIĘ DARŁY I DARŁY. I ONE NIE MOGŁY PRZESTAĆ.

TO WTEDY NIEMCY BRALI JE ZA NOGI I ROZWALALI O MUR...

TAK NIEMCY TRAKTOWALI TE MALEŃSTWA, CO JUŻ PRZEZ TYLE ZDĄŻYŁY PRZEJŚĆ.

I ONE WTEDY JUŻ SIĘ WIĘCEJ NIE DARŁY.

TEGO JA WŁASNYMI OCZAMI NIE WIDZIAŁEM, ALE MÓWILI MI TO NA DRUGI DZIEŃ. A JA SOBIE MÓWIŁEM DZIĘKI BOGU, **NASZE** DZIECI MAJĄ BEZPIECZNE MIEJSCE U PERSISA!

NO I CO SIĘ STAŁO Z RYSIEM?

ACH! NASZ ŚLICZNY CHŁOP-CZYK. DOWIE-DZIELIŚMY SIĘ DUŻO POTEM.

NA KILKA MIESIĘCY PO TYM, JAK WYSŁALIŚMY RYSIA DO ZAWIERCIA, NIEMCY POSTANOWILI ZLIKWIDOWAĆ TAMTO GETTO.

ZNOWU STRZAŁY! CO SIĘ DZIEJE?

TO STRASZNE, TOSIU!...

WSZYSTKICH GESTAPOWCÓW W GETTO WYMIENIONO NA INNYCH, Z OPOLA. I TAMCI ZASTRZELILI PERSISA I CAŁĄ RESZTĘ ŻYDOWSKIEJ RADY.

CO?

EWAKUUJĄ ZAWIERCIE. WSZYSCY MAMY SIĘ NATYCHMIAST STAWIĆ NA PLACU Z BAGAŻAMI. WSZYSTKICH NAS WYWOŻĄ – DO AUSCHWITZ!

O MÓJ BOŻE.

NIE!

NIE PÓJDĘ DO ICH KOMÓR GAZOWYCH!...

I MOJE DZIECI TEŻ NIE PÓJDĄ DO ICH KOMÓR GAZOWYCH.

BIBI! LONIA! RYSIU! CHODŹCIE TU PRĘDZIUTKO!

TOSIA ZAWSZE NOSIŁA NA SZYI FIOLKĘ Z TRUCIZNĄ... ZABIŁA NIE TYLKO SIEBIE ALE I TRÓJKĘ DZIECI.

MÓWIĘ CI, JAKA TO BYŁA TRAGEDIA NAD TRAGEDIE. TO BYŁ TAKI RADOSNY, PIĘKNY CHŁOPCZYK!

113

114

NAWET JAK PRZYSZLI Z **PSAMI**, TO ONE WĘCHEM **CZUŁY**, ŻE GDZIEŚ TUTAJ SIEDZĄ ŻYDZI – ALE I TAK NIE MOGLI NAS ZNALEŹĆ.

PSY LATAŁY WTE I WEWTE, JAK WŚCIEKŁE. ALE W SKRZYNI BYŁ TYLKO WĘGIEL. WYGLĄDAŁO, ŻE ONA JEST PEŁNA I DLATEGO NIE DAJE SIĘ POD- NIEŚĆ. A PIWNICA, NO TO BYŁA TYLKO PIWNICA.

MOŻE JEST JUŻ BEZPIECZNIE WYJŚĆ? NIE ZNIOSĘ JUŻ TYCH ROBA- KÓW, CO PO MNIE CIĄGLE ŁAŻĄ.

NIEMCY WYCHO- DZĄ!

W TYM NASZYM BUNKRZE SIEDZIAŁY TEŻ ROBAKI.

MAMY TU DOŚĆ JEDZENIA NA PRZE- TRWANIE KILKU DNI. POCZEKAJMY LEPIEJ, AŻ SIĘ NA ZEWNĄTRZ USPOKOI.

PRZECZEKALIŚMY TAM PRZEZ KILKA TAKICH AKCJI. ALE INNI, CO NIE MIELI DOBREJ KRYJÓWKI, JAK TA, CO JA ZROBIŁEM, ICH CIĄGLE ZABIERALI.

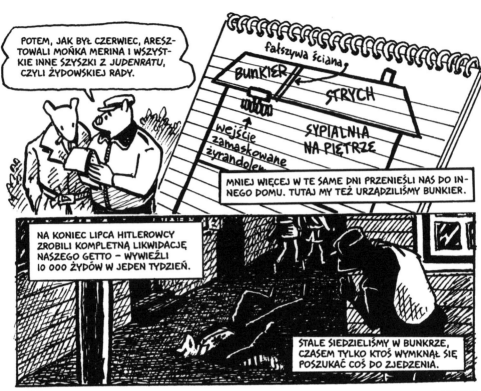

POTEM, JAK BYŁ CZERWIEC, ARESZ-TOWALI MOŃKA MERINA I WSZYST-KIE INNE SZYSZKI Z JUDENRATU, CZYLI ŻYDOWSKIEJ RADY.

fałszywa ściana

BUNKIER

STRYCH

SYPIALNIA NA PIĘTRZE

wejście zamaskowane żyrandolem

MNIEJ WIĘCEJ W TE SAME DNI PRZENIEŚLI NAS DO IN-NEGO DOMU. TUTAJ MY TEŻ URZĄDZILIŚMY BUNKIER.

NA KONIEC LIPCA HITLEROWCY ZROBILI KOMPLETNĄ LIKWIDACJĘ NASZEGO GETTO – WYWIEŹLI 10 000 ŻYDÓW W JEDEN TYDZIEŃ.

STALE SIEDZIELIŚMY W BUNKRZE, CZASEM TYLKO KTOŚ WYMKNĄŁ SIĘ POSZUKAĆ COŚ DO ZJEDZENIA.

LOLEK! DZIĘKI BOGU NIC CI SIĘ NIE STAŁO!

NA ZEWNĄTRZ JEST ISTNE PO-BOJOWISKO!

NA ŚRODULI JUŻ PRAWIE NIKOGO NIE ZOSTAŁO. WSZYSTKICH WYWIEŹLI ALBO ROZSTRZELALI.

Z WSZYSTKICH ŻYDÓW Z SOSNOWCA W GETTO ZOSTAŁO MOŻE Z TYSIĄC.

DOBRZE CHOCIAŻ, ŻE PRZY-NIOSŁEŚ PEŁNĄ TORBĘ... ZNA-LAZŁEŚ DUŻO JEDZENIA, TAK?

TYLKO KILKA STA-RYCH RZEP I TRO-CHĘ KSIĄŻEK.

KSIĄŻEK?! CO CIEBIE NAPADŁO? PRZECIEŻ NIE BĘDZIEMY JEŚĆ KSIĄŻEK!

MY CAŁY CZAS BYLIŚMY GŁODNI. PO PROSTU NIE BYŁO NIC DO JEDZENIA.

JEDNEJ NOCY WYMKNĘLIŚMY SIĘ SZUKAĆ JEDZENIA...

WCIĄGNĘLIŚMY GO DO GÓRY DO NASZEGO BUNKRA

UKRYWAM SIĘ Z ŻONĄ I GŁODUJĄCYM DZIECKIEM. WYBRAŁEM SIĘ SZUKAĆ JAKICHŚ RESZTEK.

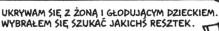

TO MOŻE BYĆ SZPICEL. NAJBEZPIECZNIEJ BYŁOBY GO ZABIĆ!

RANO DALIŚMY MU TROCHĘ JEDZENIA I GO PUŚCI-LIŚMY, ŻEBY POSZEDŁ DO SWOJEJ RODZINY...

ZABRALI NAS DO BUDYNKU NA KAWAŁKU ŚRODULI OGRODZONYM DRUTAMI – GETTO W GETCIE – I TAM KAZALI SIEDZIEĆ I CZEKAĆ.

117

SIEDZIAŁO NAS TAM ZE 200 LUDZI... FURGONETKI DO AUSCHWITZ WYJEŻDŻAŁY W KAŻDĄ ŚRODĘ. JAK NAS ZŁAPALI, BYŁ CHYBA CZWARTEK.

ANDZIU, PATRZ! TO MÓJ KUZYN JAKOW SZPIGELMAN TAM NA PODWÓRKU.

HEJ! JAKOW! POMOCY! JAKOW! POMÓŻ NAM!

WŁADEK?! JA NIC NIE MOGĘ ZROBIĆ!

PRZEZ GESTY DAWAŁEM MU ZRO-ZUMIEĆ, ŻE JA MOGĘ ZAPŁACIĆ.

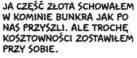

JA CZĘŚĆ ZŁOTA SCHOWAŁEM W KOMINIE BUNKRA JAK PO NAS PRZYSZLI. ALE TROCHĘ KOSZTOWNOŚCI ZOSTAWIŁEM PRZY SOBIE.

DOBRA. NIE MARTW SIĘ. HASKEL PRZYJDZIE WAM POMÓC!

HASKEL SZPIGELMAN TO BYŁ JESZCZE JEDEN MÓJ KUZYN.

A NIE POMOGLI BY CI, GDYBYŚ NIE MÓGŁ ZAPŁACIĆ? PRZECIEŻ BYLIŚCIE RODZINĄ...

HA! TY NIC NIE ROZU-MIESZ...

WTEDY JUŻ **NIE BYŁO** RODZIN. KAŻDY SIĘ MUSIAŁ MARTWIĆ SAM O SIEBIE.

NA DRUGI DZIEŃ PRZYSZŁY DWIE DZIEWCZYNY Z JEDZENIEM, A Z NIMI HASKEL, SZEF POLICJI ŻYDOWSKIEJ.

(POSŁUCHAJ, WŁADEK, MOGĘ WYDOSTAĆ CIEBIE I TWOJĄ ŻONĘ – A NAWET TWOJEGO SIOSTRZEŃCA. ALE TWOI TEŚCIOWIE SĄ ZA STARZY. ICH SIĘ ZA NIC NIE UDA PRZESZMUGLOWAĆ.)

JA CIĘ PROSZĘ! POTRAFIMY CI TO WYNAGRODZIĆ.

ODESŁAŁ OBIE DZIEWCZYNY DO KUCHNI.

PRĘDKO, CHŁOPCZE. CHWYTAJ ZE MNĄ TEN PUSTY KOCIOŁ I IDZIEMY.

PATRZYLIŚMY ZA LOLKIEM PRZEZ OKNO.

BOŻE, WŁADEK...

MUSISZ TEŻ MNIE I MATKĘ STĄD WYDOSTAĆ. DAJ KUZYNOWI TEN ZŁOTY ZEGAREK, TEN BRYLANT – WSZYSTKO!

OCZYWIŚCIE, J-JA ZROBIĘ CO TYLKO BĘDĘ MÓGŁ.

NASTĘPNEGO DNIA TO ANDZIA I JA ZANIEŚLIŚMY PUSTE KOTŁY OBOK STRAŻNIKÓW NA POSTERUNKU.

HASKEL WZIĄŁ ODE MNIE KOSZTOWNOŚCI MOJEGO TEŚCIA, ALE ON IM W KOŃCU NIE POMÓGŁ.

W ŚRODĘ PRZYJECHAŁY FURGONETKI. ANDZIA I JA WIDZIELIŚMY JEJ OJCA W OKNIE. ON PŁAKAŁ I RWAŁ SOBIE WŁOSY NA GŁOWIE.

TO BYŁ MILIONER, ALE NAWET TO MU NIE URATOWAŁO ŻYCIA.

MILOCH – ZAJMIJ SIĘ KUZYNEM WŁADKIEM.

Z PRZYJE- MNOŚCIĄ.

BEN CI POKAŻE, JAK SIĘ ZELUJE NIEMIECKIE BUTY.

HASKEL MIAŁ DWÓCH BRATÓW, PESACHA I MILOCHA. Z PESACHA TEŻ BYŁ KOMBINATOR, ALE Z MILOCHA BYŁ GOŚĆ W PORZĄDKU.

ZAREZERWUJEMY CI TO TUTAJ STANOWISKO...

NIE MUSISZ TU SIEDZIEĆ CAŁY CZAS, ALE KIEDY- KOLWIEK PRZYJDZIE NIEMIECKA KOMISJA, TO BĄDŹ TU I WYGLĄDAJ NA ZAPRACOWANEGO...

CZASEM JA MUSIAŁEM TEŻ ROBIĆ INNE PRACE W GETTO...

TAK! WŁAŚNIE COŚ MI SIĘ PRZYPOMINA...

PAMIĘTASZ TAMTEGO, CO NAS WTEDY WYDAŁ Z NASZEGO BUNKRA?...

NO WIĘC, TY WIESZ, JA GO POCHOWAŁEM.

HEJ! TO JEST TEN PADALEC, CO WYDAŁ GESTAPO CAŁĄ NASZĄ RODZINĘ.

KTOŚ GO ZASTRZELIŁ!

TO HASKEL ZAŁATWIŁ, ŻEBY GO ZABIĆ.

JEŚLI JEST MARTWY, TO CZEMU MA SZE- ROKO OTWARTE OCZY?

BO WALCZYŁ O ŻYCIE.

AKURAT JA MIAŁEM DYŻUR, WIĘC... JA GO MUSIAŁEM POCHOWAĆ.

HASKEL DO DZISIAJ ŻYJE, MIESZKA W POLSCE, MA ŻONĘ POLKĘ, SĘDZIĘ, CO GO UKRYWAŁA, KIEDY **HYAAK!**

M-MOJE SERCE – ARTIE! PRĘDKO! WYJMIJ MI Z KIESZENI JEDNĄ NITROGLICERYNĘ.

M-MASZ... CO CI JEST?

HOOCH

J-JA – MNIE ZARAZ BĘDZIE LEPIEJ. JA MUSZĘ TYLKO MINUTĘ ZATRZYMAĆ ODDECH.

USIĄDŹMY NA TYCH STOPNIACH.

ODPOCZNIJ. NIC NIE MÓW PRZEZ CHWILĘ.

HOOCH! TROCHĘ ZA SZYBKO SZEDŁEM!

DZIĘKI NITROGLICERYNIE, CHWALIĆ BOGA, NATYCHMIAST JEST PO WSZYSTKIM! O CZYM TO JA CI OPOWIADAŁEM?

NA PEWNO DOBRZE SIĘ CZUJESZ?

NO WIĘC... MÓWIŁEŚ, ŻE HASKEL PRZEŻYŁ WOJNĘ.

TAK, JESZCZE PARĘ LAT TEMU NAWET WYSYŁAŁEM MU PACZKI.

PODARKI? DLACZEGO? Z TEGO, CO MÓWIŁEŚ, TO BYŁ KAWAŁ GNOJKA!

TAK. JA NIE WIEM DLACZEGO. WYSYŁAŁEM I TYLE.

TY WIESZ, JEDNEGO RAZU JA IDĘ SOBIE PRZEZ GETTO...

HALT, ŻYDZIE!

WYCIĄGAJ PAPIERY – BO ZARAZ ROZWALĘ CI ŁEB.

A WIDZĘ, ŻE JESTEŚ CZŁONKIEM ZNAKOMITEGO RODU SZPIGELMANÓW... IDŹ ZATEM W SWOJĄ STRONĘ I POZDRÓW ODE MNIE HASKELA.

...TAKICH HASKEL MIAŁ PRZYJACIÓŁ.

122

OPOWIEDZIAŁEM TO POTEM HASKELOWI I MILOCHOWI

MIAŁEŚ SZCZĘŚCIE, WŁADEK.

NAZYWAJĄ GO „STRZELEC". CODZIENNIE ZABIJA JAKIEGOŚ NIESZCZĘSNEGO ŻYDA, OT TAK, DLA ZABAWY.

HEJ! NIE IDZIECIE DO PESACHA PO TORT?

TORT?

JUŻ CAŁE **LATA** NIE WIDZIELIŚMY TORTU. NAWET **CHLEB** WIDZIELIŚMY RZADKO!

TO NIEMOŻLIWE!

JAKIEŚ ŻARTY!

TORT!

ALE KUZYN PESACH NAPRAWDĘ HANDLOWAŁ **TORTEM**! KAŻDY, JAK JEGO BYŁO STAĆ, CZEKAŁ DŁUGĄ KOLEJKĘ ZA KAWAŁEK TORTU...

WYGLĄDA SMAKOWICIE.

PESACH, JAK TY TO ZROBIŁEŚ?

JAK WYSYŁA SIĘ LUDZI DO AUSCHWITZ, MOI LUDZIE PRZESZUKUJĄ ICH MIESZKANIA.

PESACH, TAK SAMO JAK HASKEL, BYŁ W ŻYDOWSKIEJ POLICJI.

TU ZNAJDĄ TROCHĘ MĄKI, ÓWDZIE KILKA GRAMÓW CUKRU... UZBIERAŁEM.

BYŁ MŁODSZY NIŻ HASKEL, ALE Z NIEGO TEŻ BYŁ KOMBINATOR.

WIECIE, JAK MOJA RYFKA ŚWIETNIE GOTUJE... SPRÓBUJCIE! PORCJA TYLKO KILKA ZŁOTYCH.

CIĄGLE JESZCZE MIAŁEM OSZCZĘDNOŚCI, WZIĄŁEM WIĘC PO KAWAŁKU DLA SIEBIE I ANDZI.

ALE POTEM WSZYSCY, CALUŚKIE GETTO, CHOROWALIŚMY, ŻE NIE MASZ POJĘCIA...

CZĘŚĆ TEJ MĄKI, CO JĄ HASKEL ZNALAZŁ – TO WCALE NIE BYŁA MĄKA, ALE **PROSZEK DO PRANIA** I ON JEGO PRZEZ POMYŁKĘ DAŁ DO TORTU.

AU!

AUAUA

OJ!

UUCH!

...CHOROWALIŚMY WSZYSCY JAK KOTY!

ZANIM BYŁA WOJNA, PESACH MIAŁ PENSJONAT W ZAKOPANEM...

TAMTYMI CZASY TEŻ MIAŁ SWOJE SPOSOBY.

W CENĘ POKOJU DOCHODZIŁ BARDZO DUŻY PODATEK... PESACH BRAŁ OD GOŚCI ŁAPÓWKI I NIE MELDOWAŁ ICH, ALE JAK PRZYSZŁA KONTROLA, TO GOŚCIE MUSIELI SIĘ POCHOWAĆ.

RAZ KIEDY JEGO ŻONA UGOTOWAŁA ZBYT MAŁO NA DESER... WIĘC PESACH WPADA W JADALNIĘ I WOŁA: KONTROLA IDZIE!

NIE BYŁO, OCZYWIŚCIE, ŻADNEJ KONTROLI. ALE 40% GOŚCI UCIEKŁO Z POKOJU. I PESACHOWI DESER ZOSTAŁ JESZCZE NA DRUGI DZIEŃ!

CHODŹMY.

MOŻESZ JUŻ IŚĆ DALEJ?

TAK, TU JEST ZA BRUDNO! ...ALE NAPRAWDĘ, JAKBY NIE MIAŁ MOJEJ NITROGLICERYNY, TO DZIĘKI TEMU MOGŁOBY SIĘ SKOŃCZYĆ DOŚĆ STRASZNIE.

MILOCH SZPIGELMAN PRZEŻYŁ WOJNĘ RAZEM Z ŻONĄ I ICH DZIECKIEM. WYJECHALI DO AUSTRALII. JAKIEŚ PIĘĆ LAT TEMU MIAŁ ZAWAŁ...

A ZESZŁEGO ROKU ON DOSTAŁ ATAK NA ULICY – TAK SAMO JAK JA PRZED CHWILĄ TEMU... ALE ON NIE MIAŁ ZE SOBĄ PIGUŁEK. JEGO ŻONA POBIEGŁA DO APTEKI.

JAK ONA WRÓCIŁA, MILOCH JUŻ NIE ŻYŁ!

NA? TAK W ŻYCIU BYWA.

ALE JA CI MUSZĘ TERAZ PRĘDKO ZAKOŃCZYĆ O ŚRODULI, BO JUŻ ZARAZ DOJDZIEMY DO BANKU.

AUTOBUSY WY-WOZIŁY KOLEJNYCH LUDZI ZE ŚRODULI DO AUSCHWITZ, CO KAŻDĄ ŚRODĘ, PO SAM KONIEC 1943 ROKU, A JUŻ PRAWIE NIKT NIE ZOSTAŁ.

NIEDŁUGO NASZA KOLEJ, CO, WŁADEK?

MIEJMY NADZIEJĘ, ŻE NIE, MILOCH.

HASKEL SŁYSZAŁ, ŻE TERAZ LADA DZIEŃ MAJĄ WYWIEŹĆ WSZYSTKICH TYCH, CO TU JESZCZE ZOSTALI.

MILOCH ZAPROWADZIŁ MNIE DO SZEWSKIEGO SZOPU.

TO BYŁO WCZEŚNIE I JESZCZE NIKT NIE PRZYSZEDŁ...

HASKEL MA PLAN, JAK SIĘ SAMEMU WYMKNĄĆ Z GETTA.

PESACH I JA TEŻ MAMY SWÓJ PLAN...

ODSUNĄŁ TROCHĘ BUTÓW Z NA-PIĘTRZONEJ DO SUFITU STERTY...

...I ON MNIE WPROWADZIŁ DO TUNELU...

NIE MÓW O TYM NIKOMU POZA ANDZIĄ I TWOIM BRATANKIEM.

...TUNEL ZBUDOWANY BUTAMI!

PRZEDOSTALIŚMY SIĘ DO BUNKRA.

BĄDŹ PRZYGOTOWANY, ŻEBY ICH TU SPROWADZIĆ W JEDNEJ CHWILI!

NIEBYWAŁE!

WSZYSTKO TU BYŁO PRZYGOTOWANE NA 15 ALBO 16 OSÓB.

...ALE KIEDY ANDZIA I JA CHCIELIŚMY OMÓWIĆ BUNKIER Z LOLKIEM...

NIE, DZIĘKUJĘ, ANI MYŚLĘ!

ALE MILOCH MA JUŻ WSZYSTKO ZORGANIZOWANE!

JUŻ MNIE MDLI OD TEGO UKRYWANIA SIĘ!

BRATANEK BYŁ WTEDY DOPIERO PIĘTNASTOLETNI. PRACOWAŁ JAKO ELEKTRYK.

LOLEK ZAWSZE BYŁ TROCHĘ MESZUGA...

ANDZIA POPADŁA W KOMPLETNĄ HISTERIĘ.

JESTEM WYKWALIFIKOWANYM ROBOTNIKIEM. DOKĄDKOLWIEK MNIE NIE WYWIOZĄ, DAM SOBIE RADĘ.

OSZALAŁEŚ! POJEDZIESZ PROSTO DO PIECÓW!

I FAKTYCZNIE JEGO ZABRALI NA JEDEN Z NASTĘPNYCH TRANSPORTÓW DO AUSCHWITZ.

STRACIŁAM JUŻ CAŁĄ RODZINĘ! BABCIĘ I DZIADKA! TATĘ! MAMĘ! TOSIĘ! BIBI! MOJEGO RYSIA!

A TERAZ ZABIORĄ LOLKA!

TO BYŁO MNIEJ WIĘCEJ O TYM SAMYM CZASIE, KIEDY SŁYSZELIŚMY PIERWSZE ZŁE WIEŚCI Z ZAWIERCIA – O TOSI I RYSIU.

O BOŻE! DAJ UMRZEĆ I MNIE!

ANDZIU, DAJ SPOKÓJ. WSTAŃ!

CZEMU MNIE CIĄGNIESZ, WŁADEK? ZOSTAW MNIE W SPOKOJU! JA JUŻ NIE CHCĘ ŻYĆ!

O NIE, KOCHANIE, UMRZEĆ JEST ŁATWO...

ALE MUSISZ POWALCZYĆ O ŻYCIE!

MY MUSIMY RAZEM WALCZYĆ DO SAMEGO KOŃCA! POTRZEBUJĘ CIEBIE!!

I JESZCZE ZOBACZYSZ, ŻE RAZEM PRZETRWAMY.

JA TO DO NIEJ ZAWSZE POWTARZAŁEM.

126

ZLIKWIDOWALI GETTO, DOKŁADNIE TAK, JAK MÓWIŁ MILOCH. Z NIM, JEGO ŻONĄ I ICH TRZYLETNIM SYNKIEM, PRZYBIEGŁO NAS DO BUNKRA OKOŁO DWANAŚCIE.

GUCIA, MUSISZ USPOKOIĆ DZIECKO!

UAA! JEŚĆ!

MUSIMY GO SCHOWAĆ POD KOCAMI, DOPÓKI SIĘ NIE USPOKOI.

CII.

W BUNKRZE NA INNEJ STRONIE SZOPU SIEDZIELI PESACH I PARU INNYCH.

NIE BYŁO NIC CO ROBIĆ, TYLKO LEŻEĆ I ZDYCHAĆ Z GŁODU.

ANDZIA CAŁYMI DNIAMI I NOCAMI PISAŁA DO SWOJEGO DZIENNIKA.

NO! UDAŁO MI SIĘ WYDŁU-BAĆ DZIURKĘ W MURZE.

WIDZĘ ŻOŁNIERZY.

WSZĘDZIE DOKOŁA STRAŻNICY SZUKALI, CZY SIĘ KTOŚ NIE SCHOWAŁ.

TO TROCHĘ JEDZENIA, CO MIE-LIŚMY, SZYBKO SIĘ WYKOŃCZYŁO.

OCH... TAK BYM CHCIAŁ KA-WAŁEK CHLEBA... TAK BYM CHCIAŁ KAWAŁEK CHLEBA...

CICHO! MY TU WSZYSCY GŁODUJEMY!

NOCĄ WYMYKALIŚMY SIĘ, ABY POSZUKAĆ COKOLWIEK DO JEDZENIA... ALE NIE BYŁO NIC.

MASZ, ANDZIU – SPRÓBUJ TO POŻUĆ.

ZNALAZŁEŚ COŚ DO JE-DZENIA?

JESZCZE NIGDY PRZEDTEM ŻADNE Z NAS NIE BYŁO TAKIE GŁODNE.

NIE, TO TYLKO DREWNO.

ALE JAK SIĘ JE POŻUJE, TO TROSZECZKĘ JAKBY SIĘ JADŁO.

PO JAKIMŚ CZA-SIE PRZYSZEDŁ DO NAS ZE SWO-JEGO BUNKRA PESACH...

MOŻE WY, GŁUPCY, ZAMIERZACIE TU SIEDZIEĆ, AŻ NIE ZDECHNIECIE Z GŁODU – ALE BEZE MNIE!...

NAWIĄZAŁEM KONTAKT Z JEDNYM STRAŻNIKIEM.

TO BĘDZIE KOSZTOWAĆ MAJĄTEK, ALE ZGODZIŁ SIĘ PRZYMKNĄĆ NA NAS OCZY.

NASZA GRUPA JUTRO ZMIESZA SIĘ Z PO-LAKAMI, KTÓRZY IDĄ PRZEZ ŚRODULĘ DO PRACY... JAK SIĘ DORZUCIE DO KASY, TO MOŻECIE IŚĆ Z NAMI.

WIELU Z NASZEGO BUNKRA POSZŁO NA TO.

MILOCH I JA MÓWILIŚMY NIE. MY NIE MIELIŚMY ZAUFANIA DO NIEMCÓW.

PODSZEDŁ DO MNIE JEDEN Z NASZEGO BUNKRA, AWRAM...

ON MÓWIŁ, TY MI WŁADEK PO-WIEDZ, JAK TY BĘDZIESZ WY-CHODZIŁ. WTEDY JA UWIERZĘ, ŻE TO JEST BEZPIECZNIE. ON Z JEGO DZIEWCZYNĄ CHCIELI MI ZAPŁACIĆ ZA MOJE DORADZENIE.

ONI MIELI JESZCZE DWA ZE-GARKI I KILKA BRYLANTOWYCH PIERŚCIONKÓW. JA NIE CHCIA-ŁEM TEGO BRAĆ. ONI TO MUSIELI MIEĆ, ŻEBY PRZEŻYĆ. WIĘC JA WZIĄŁEM TYLKO TEN MNIEJSZY ZEGAREK.

NA NASTĘPNE RANO GRUPA PESACHA WYSZŁA BARDZO WCZEŚNIE.

JA STAŁEM SCHOWANY ZA ROGIEM. USŁYSZAŁEM GŁOŚNE STRZAŁY I JA JUŻ NIE CHODZIŁEM PATRZEĆ, CO SIĘ STAŁO...

DALI PIENIĄDZE I PRZESZLI OBOK STRAŻNIKÓW.

TYLKO JA BARDZO SZYBKO BIE-GŁEM Z POWROTEM DO BUNKRA.

ZOSTAŁO NAS TYLKO KILKORO.

OD DWÓCH NOCY NIE PALIŁO SIĘ W STRAŻNICY ŻADNE ŚWIATŁO... MYŚLĘ, ŻE JUŻ JEST BEZPIECZNIE.

NA NIEDUŻO PRZED ŚWITEM OPUŚCILIŚMY ŚRODULĘ...

NIE MA NIKOGO!

GETTO JEST PUSTE!

UFF

WONNE JUDE

JUŻ OD WCZEŚNIEJ MIELIŚMY ZORGANIZOWANE ODPOWIEDNIE UBRANIA I PAPIERY.

POMIESZALIŚMY SIĘ Z IDĄCYMI DO PRACY POLAKAMI.

BĘDZIEMY SIĘ UKRYWAĆ POD TYM ADRESEM. JAK ZNAJDZIECIE BEZPIECZNE MIEJSCE, TY WŁADEK, SPRÓBUJ SIĘ Z NAMI SKONTAKTOWAĆ.

POWODZENIA, MILOCH.

ROZESZLIŚMY SIĘ KAŻDY W INNY KIERUNEK.

KOBIETA TEGO AWRAMA MIAŁA PRZYJACIÓŁ, CO MOGLI ICH PRZECHOWAĆ.

I CI PRZYJACIELE ICH CHOWALI... AŻ AWRAMOWI NIE SKOŃCZYŁY SIĘ PIENIĄDZE. WTEDY ONI ICH WYDALI.

ANDZIA I JA NIE MIELIŚMY GDZIE IŚĆ.

POSZLIŚMY W KIERUNKU SOSNOWCA – ALE DALEJ CO?!

KOMPLETNIE NIE BYŁO SIĘ DOKĄD SCHOWAĆ.

CZYM MOGĘ SŁUŻYĆ, PANIE SZPIGELMAN?

JEST TU ZE MNĄ MÓJ SYN, ARTIE. JA CHCĘ GO UPOWAŻNIĆ NA MOJĄ SKRYTKĘ I DOROBIĆ MU KLUCZ.

W RAZIE JAKBY ZE MNĄ COŚ SIĘ STAŁO, TY MUSISZ TU **ZARAZ** PRZYBIEC.

DLATEGO JA ZAŁATWIŁEM CI TEN KLUCZ.

TY WYJMIJ Z SEJFU WSZYSTKO. INACZEJ TYLKO POŻRĄ TO PODATKI.

ALBO **MALA** PO-ŁOŻY W TO RĘKĘ.

TATO, PROSZĘ...

PO PROSTU JAKOŚ NIE-SWOJO MI ROZMAWIAĆ O SPADKU PO TOBIE.

TY MASZ JUŻ ODPO-WIEDNI WIEK, WIĘC MUSIMY O TYCH RZE-CZACH POMYŚLEĆ.

CZEMU NIE WYDASZ SWOICH OSZCZĘDNO-ŚCI, PÓKI JESZCZE MOŻESZ TO ZROBIĆ?

TWÓJ KLUCZ JA BĘDĘ TRZYMAŁ W MOIM BIURKU. TY BYŚ GO TYLKO ZGUBIŁ!

TY PATRZYSZ I WIDZISZ, CO JA TU MAM? TA PAPIEROŚNICA I TA PUDERNICZKA, TO SZCZERE ZŁOTO 14-KARAT.

ACHA

NK

TE SAME RZECZY JA MIAŁEM WTEDY NA ŚRODULI, W BUNKRZE NAD ŻYRANDOLEM.

NAPRAWDĘ? JAKIM CUDEM TY TO JESZCZE MASZ?

BAN

JAK WTEDY ZNALAZŁO NAS GESTAPO, JA SZYBKO RZUCIŁEM KILKA RZECZY DO KOMINA... POMYŚLAŁEM, ŻE JAK ZNAJDĄ NA MNIE RESZTĘ KOSZTOW-NOŚCI, TO MOŻE CHOCIAŻ TO ZOSTANIE.

POTEM JAK W 1945 WRÓCIŁEM Z OBOZU, JA WKRADŁEM SIĘ NA ŚRODULĘ I W NOCY, JAK WSZYSCY SPALI, WYKOPAŁEM WSZYST-KIE TE RZECZY Z DNA KOMINA.

OJEJ.

TY WIDZISZ TEGO BRYLANTA? DAŁEM GO ANDZI ZARAZ JAK PRZYJECHALIŚMY DO USA.

JESZCZE JAK TY BYŁEŚ MAŁY CHŁOPIEC, ANDZIA CHCIAŁA, ŻEBY TEN PIERŚCIONEK BYŁ DLA TWOJEJ ŻONY.

ALE JAK JA CI GO DAM, TO MALA MNIE DOPROWADZI DO **SZAŁU**. ONA CHCE WSZYSTKO TYLKO DLA SIEBIE.

ONA NIE CHCE, ŻEBYM JA COKOLWIEK WYSY-ŁAŁ DLA BRATA DO IZRAELA, ANI COKOLWIEK DAWAŁ DLA CIEBIE – ONA JUŻ TRZY RAZY ZMUSIŁA MNIE ZMIENIĆ TESTAMENT.

DAJ SPO-KÓJ, MALA JEST OK!

A CO TY MOŻESZ WIEDZIEĆ! NAWET ZARAZ PO MOIM OSTATNIM ATAKU SERCA, JAK JESZCZE LEŻAŁEM NA ŁÓŻKU, ONA **ZNOWU** ZACZĘŁA, ŻEBY ZMIENIĆ TESTAMENT!

JA DO NIEJ MÓWIĘ, MALA, CZY TY **WIDZISZ**, JAKI JA JESTEM CHORY. TY MNIE DAJ TRO-CHĘ SPOKÓJ. **CZEGO TY ODE MNIE CHCESZ?**

A ONA WTEDY WRZASNĘŁA, JA CHCĘ PIENIĄDZE!

PIENIĄDZE. PIENIĄDZE!

POWIEDZ MI ARTIE: I CZEMU JA SIĘ DRU-GI RAZ POŻENIŁEM?

OJ, ANDZIU! ANDZIU! ANDZIU!

SPOKOJNIE, TATO... CHODŹMY DO DOMU.

Kolejna wizyta...

WEZMĘ SOBIE SOKU. NALAĆ CI TEŻ?

NIE. COŚ CI POWIEM – ZARAZ PO ŚLUBIE POTRZEBOWAŁAM KUPIĆ SOBIE RÓŻNE RZECZY DO UBRANIA...

TO BYŁO JAKIEŚ PÓŁTORA ROKU PO ŚMIERCI ANDZI. OTWORZYŁ SZAFĘ I MÓWI: TO WSZYSTKO JEST DLA CIEBIE.

POWIEDZIAŁAM MU, ŻE NIE TKNĘ JEJ RZECZY!

...BOŻE MÓJ, CO TO ZA CZŁOWIEK! SŁOWO DAJĘ, CZASEM MYŚLĘ, ŻE OŻENIŁ SIĘ ZE MNĄ, BO MIAŁAM TEN SAM ROZMIAR, CO ANDZIA!

ZAWSZE BYŁ – EE – PRAGMATYCZNY.

PRAGMATYCZNY! SKNERA!! ROZSTANIE CHOĆBY Z PIĘCIOCENTÓWKĄ SPRAWIA MU FIZYCZNY BÓL!

AHA

WYDAWAŁO MI SIĘ, ŻE TO WOJNA GO TAK UKSZTAŁTOWAŁA...

PHI! JA TEŻ PRZESZŁAM OBOZY...

WSZYSCY NASI ZNAJOMI PRZESZLI PRZEZ OBOZY. NIKT NIE JEST TAKI, JAK ON!

MM...

JEŚLI CHODZI O TĘ KSIĄŻKĘ, NAD KTÓRĄ PRACUJĘ, JEDNA RZECZ MNIE NIEPOKOI...

ON JEST, W PEWIEN SPOSÓB, JAK RASISTOWSKA KARYKATURA STAREGO ŻYDA-SKĄPCA.

HA! TEGO MI NIE MUSISZ TŁUMACZYĆ!

CHODŹMY WSZYSCY DO OGRÓDKA... ZOBACZYCIE, JAK WYROSŁY KRZAKI ŁADNIE.

WY IDŹCIE! JA MUSZĘ SIĘ PRZYGOTOWAĆ...

...JESTEM UMÓWIONA U FRYZJERA.

ZNOWU DO FRYZJERA? PRZECIEŻ TY BYŁAŚ LEDWO TYDZIEŃ TEMU!

ONA WIĘCEJ SIĘ WIDZI Z FRYZJEREM, NIŻ ZE MNĄ!

WIDZISZ, JAK TO JEST? KIEDYKOLWIEK CHCĘ WYJŚĆ Z DOMU NA CHWILĘ, ON WPĘDZA MNIE W POCZUCIE WINY!

JA MAM BYĆ W POBLIŻU NA KAŻDE JEGO ZAWOŁANIE!

I CO JA WŁAŚCIWIE POWIEDZIAŁEM TAK STRASZNEGO? TY MI WIERZ, W OGRODZIE TY ZNAJDZIESZ WIĘCEJ ŚWIEŻEGO POWIETRZA, NIŻ U STU FRYZJERÓW!

OJ, WŁADEK. PRZESTAŃ!

TY WIDZISZ, JAKA ONA JEST? CO JA MAM Z NIĄ ROBIĆ?

CHODŹMY, TATO, POSIEDZIEĆ W OGRODZIE.

WYSTARCZY, ŻE JA DO NIEJ MÓWIĘ JEDNO SŁOWO, A ONA ZARAZ ZACZYNA KŁÓTNIĘ!

ONA MI MÓWI, ŻE ONA ODEJDZIE! TO JA JEJ WTEDY: TAK? DRZWI SĄ TAM. ALE PAMIĘTAJ, ONE TYLKO SĄ W JEDNĄ STRONĘ... JAK TY IDZIESZ, TO JUŻ POWROTU NIE MA!

139

TAM MIESZKA JANINA.

GUWERNANTKA RYSIA OFEROWAŁA DLA NAS ZAWSZE SWOJĄ POMOC.

ONA MIESZKAŁA W DOMU POD MIASTEM...

JANINA, OTWÓRZ! PRĘDKO!

K-KTO TAM?

MÓJ BOŻE! TO SZPIGELMANOWIE!

SPROWADZICIE NIESZCZĘŚCIE! IDŹCIE SOBIE! ALE JUŻ!

BAM

WŁADEK, BOJĘ SIĘ.

MOŻE POWINNIŚMY SPRÓBOWAĆ W STAREJ KAMIENICY OJCA. DOZORCA ZNAŁ CAŁĄ NASZĄ RODZINĘ DŁUGIE LATA.

SPRÓBUJMY. MUSIMY ZNIKNĄĆ Z ULICY PRZED ŚWITEM!

JA JESZCZE NIE MIAŁEM NAJGORZEJ. BYŁEM W PŁASZCZU I BUTACH, CO NOSILI GESTAPOWCY PO SŁUŻBIE. ALE **ANDZIA** – NA WYGLĄD – PO NIEJ **ŁATWO** BYŁO WIDAĆ, ŻE JEST ŻYDÓWKĄ. JA SIĘ BAŁEM O NIĄ.

PANIE ŁUKOWSKI, NIECH PAN WSTANIE. NIECH PAN NAS WPUŚCI. **PROSZĘ!!**

HE? K-KTO TAM?

ANDZIA! ANDZIA ZYLBERBERG!

CO TU ROBISZ, DZIECKO? TO NIEBEZPIECZNE! POCZEKAJCIE – OTWORZĘ BRAMĘ.

PRZEJDŹCIE PRZEZ PODWÓRKO, TAM Z TYŁU JEST SZOPA. PRZYNIOSĘ WAM COŚ DO JEDZENIA.

DZIĘKI BOGU SĄ JESZCZE JACYŚ DOBRZY LUDZIE. MYŚLAŁAM—

ŻYDÓWKA!

NA PODWÓRKU JEST ŻYDÓWKA! POLICJA!

PRĘDKO!

STARA JĘDZA ROZPOZNAŁA ANDZIĘ PRZEZ OKNO.

POBIEGLIŚMY SZYBKO DO SZOPY I SCHOWALIŚMY SIĘ W SŁOMIE.

NA RAZIE TO WYSTARCZY...

NIE SĄDZĘ, ŻEBY KTOŚ JĄ USŁYSZAŁ... POZA TYM TO SKLEROTYCZKA.

ALE MUSICIE SOBIE POSZUKAĆ LEPSZEGO MIEJSCA. KTOŚ TU W KOŃCU MUSI WAS ROZPOZNAĆ!

JUŻ PRAWIE RANO. ZACZEKAJ TU. WYJDĘ SIĘ TROCHĘ ROZEJRZEĆ.

UWAŻAJ NA SIEBIE.

JA SZEDŁEM, ALE NIE MIAŁEM POJĘCIA, DOKĄD JA MAM IŚĆ.

TOK TOK

I SZYBKO USŁYSZAŁEM, ŻE KTOŚ SZEDŁ ZA MNĄ.

JA SZEDŁEM POWOLI...

TOK
TOK

TEN ZA MNĄ TEŻ SZEDŁ POWOLI...

JA SZEDŁEM SZYBKO...

TOK

TEN ZA MNĄ TEŻ SZEDŁ SZYBKO.

GDY ZOSTA-LIŚMY SAMI, ON PRZE-MÓWIŁ...

AMCHA?

PO HEBRAJSKU OZNACZA TO „TY JESTEŚ Z NASZYCH?"

MIAŁEM MU ODPOWIADAĆ, CZY NIE?

A-AMCHA.

TAK MYŚLAŁEM, ŻE JESTEŚ ŻYDEM.

...JA TEŻ JESTEM ŻYDEM!

ZOSTAŁO NAS BARDZO NIEWIELE...

...MOJA ŻONA I JA UKRY-WAMY SIĘ W SOSNOWCU OD PONAD ROKU.

JA TEŻ JESTEM Z ŻONĄ. JESTEŚMY GŁODNI I NIE MAMY GDZIE SIĘ UKRYĆ!

IDŹ NA CZARNY RY-NEK PRZY ULICY DEKERTA, POD NUMEREM 8.

ROZESZLIŚMY SIĘ I JA SZEDŁEM PROSTO NA DEKERTA 8. TAM BYŁO DUŻE PODWÓRKO...

?

JA PATRZYŁEM WSZĘDZIE ALE NIKOGO NIE BYŁO.

PSSST!

!

PANIE, CHCESZ PAN KUPIĆ JEDZENIE BEZ KARTEK?

ONA MI POKAZAŁA SWOJE KIEŁBASY, JAJKA, SER... TAKIE RZECZY, O JAKICH JA MOGŁEM TYLKO ŚNIĆ.

ZROBIŁEM ZAKUPY I JA SZYB-KO WRÓCIŁEM DO ANDZI.

DZIEŃ DOBRY.

WŁADEK! TAK DŁUGO CIĘ NIE BYŁO.

MUSIAŁEM ZAŁATWIĆ ŚNIADANIE!... CHCESZ KIEŁBASY?... MOŻE JAJKO?... A MOŻE WOLISZ CZEKOLADY?

CO?

TO CUD! JAK CI SIĘ UDAŁO?

JESTEM CZARODZIEJEM! MOŻE NAPIJ SIĘ MLEKA.

ZNOWU POSZEDŁEM NA DEKERTA. JA TAM MOGŁEM ZAMIENIĆ BIŻUTERIĘ NA MARKI – A MARKI NA JEDZENIE, ALBO NA KRYJÓWKĘ.

TERAZ BYŁO TAM WIĘCEJ LUDZI... ZOBACZYŁEM TAN NAWET PARĘ ŻYDOWSKICH CHŁOPAKÓW, CO ICH ZNAŁEM JESZCZE SPRZED WOJNY.

WŁADEK SZPIGELMAN? LEDWIE CIĘ ROZPOZNAŁEM. WIĘC CIĄGLE JESZCZE ŻYJESZ, CO?

LEON? TAK. JESTEM Z ANDZIĄ.

POTRZEBUJEMY SIĘ GDZIEŚ UKRYĆ.

MOŻE U KAWKOWEJ?

ONA MA MAŁE GOSPODARSTWO NA PRZEDMIEŚCIU.

MOGŁABY WAS PRZYJĄĆ, JEŚLI MASZ CZYM ZAPŁACIĆ.

DO KAWKOWEJ GOSPODARSTWA NIE BYŁO DALEKO...

A WIĘC, W PORZĄDKU, PANIE SZPIGELMAN. MOŻE PAN RAZEM Z ŻONĄ SPAĆ W OBORZE.

PRZYJDZIEMY DZIŚ PÓŹNYM WIECZOREM.

ALE PAMIĘTAJCIE – JAK WAS TAM ZNAJDĄ, TO JA WAS NIE ZNAM. MUSICIE MÓWIĆ, ŻE DRZWI OD OBORY BYŁY OTWARTE I PO PROSTU WŚLIZNĘLIŚCIE SIĘ.

NIECH SIĘ PANI NIE BOI... MY PANI NIE ZDRADZIMY!

JUŻ PRAWIE ŚWITA – KIEDY PANI KAWKOWA PRZYJDZIE WYDOIĆ KROWĘ, PRZYNIESIE CI TROCHĘ KAWY.

A DOKĄD TY IDZIESZ?

NA DEKERTA.

TAK ZAMIESZKALIŚMY Z KROWĄ KAWKOWEJ.

NIE ZOSTAWIAJ MNIE ZNOWU SAMEJ. JESTEM PRZERAŻONA, JAK CIĘ NIE MA.

NIE MARTW SIĘ, ANDZIU. NIC MI NIE BĘDZIE. GDYBYM NIE WYCHODZIŁ – NIE MIELIBYŚMY CO JEŚĆ... NIE MIELIBYŚMY TEGO MIEJSCA!...

A MUSIMY ZNALEŹĆ COŚ CIEPLEJSZEGO NA ZIMĘ... W MIARĘ MOŻLIWOŚCI GDZIEŚ POZA SOSNOWCEM...

JA – O MNIE SIĘ NIE MARTW. WRACAJ SZYBKO.

DO MIASTA JA CZĘSTO BRAŁEM TRAMWAJ...

BYŁY DWA WAGONY. W PIERWSZYM JEŹDZILI SAMI NIEMCY I URZĘDNICY. W DRUGIM TYLKO POLACY.

JA ZAWSZE SIADAŁEM PROSTO W WAGON DLA NIEMCÓW...

HEIL HITLER.

NIEMCY NIE ZWRACALI DO MNIE UWAGI... W POLSKIM WAGONIE POLSKIEGO ŻYDA BY WYCZULI NA WĘCH.

BYŁO TU DLA NAS TROCHĘ WYGODNIEJ... BYŁO NA CO USIĄŚĆ.

PAMIĘTAJ, MALUTKI – NIE MÓW **NIKOMU**, ŻE TU SĄ ŻYDZI. BO ZABIJĄ NAS WSZYSTKICH!

TAK, CIOCIU ANDZIU.

CHŁOPCZYK BYŁ BARDZO ROZGAR- NIĘTY I ON UWIELBIAŁ ANDZIĘ.

ALE MUSIAŁEŚ MOTONOWEJ **ZA- PŁACIĆ**, ŻEBY WAS PRZECHOWAŁA?

OCZYWIŚCIE, ŻE JA ZAPŁACIŁEM. I TO **SŁONO**.

...TY CO SOBIE MYŚLISZ? KTOŚ BĘDZIE RYZYKOWAĆ SWOJE ŻYCIE ZA DARMO?

...PŁACIŁEM JEJ TEŻ ZA JEDZE- NIE, CO NAM DAWAŁA ZE SWO- ICH SZMUGLERSKICH ZAPASÓW.

ALE JEDNEGO RAZU ZABRAKŁO MI KILKA GROSZY NA CHLEB...

RESZTĘ ZAPŁACĘ JUTRO, JAK PÓJDĘ SPIE- NIEŻYĆ KOSZTOWNOŚCI.

PRZYKRO MI... ALE DZIŚ NIGDZIE **NIE WIDZIAŁAM** CHLEBA.

ONA **ZAWSZE** MIAŁA CHLEB, WIĘC JA NIE MOGŁEM UWIE- RZYĆ... ALE ONA I TAK BYŁA DOBRĄ KOBIETĄ.

CHŁOPCZYK MIAŁ DUŻE TRUDNOŚCI Z NIEMIECKIM W SZKOLE. WIĘC ANDZIA DAWAŁA MU KOREPETYCJE.

ICH BIN... DU BIST... ER IST...

ONA ZNAŁA NIEMIECKI NA PERFEKT.

I SZYBKO ON ZACZĄŁ PRZYNOSIĆ **BARDZO** DOBRE STOPNIE.

NAUCZYCIEL MNIE PYTAŁ, DZIĘ- KI KOMU TAK SIĘ POPRAWIŁEM...

WIĘC MU POWIE- DZIAŁEM, ŻE TO **MAMA** MI POMAGA.

UFF

ON BYŁ NAPRAWDĘ MĄDRY CHŁOPAK.

ALE TAM BYŁO TEŻ PARĘ RZECZY JUŻ NIE TAK DOBRYCH...
JEJ DOMEK BYŁ MALUTKI, TYLKO Z PARTEREM...

PAMIĘTAJCIE, ŻEBY SIĘ NIE ZBLIŻAĆ DO OKIEN – KTOŚ MÓGŁBY WAS ZOBACZYĆ!

PUK PUK

CHWILECZKĘ!

(PRĘDKO – WŁAŹCIE DO SZAFY!)

JAK KTOŚ PRZYCHODZIŁ, SZYBKO SIĘ CHOWALIŚMY.

PRZYSZEDŁ LIST OD PANI MĘŻA, PANI MOTONOWA.

DZIĘKUJĘ.

ALE JA BYŁEM NA COŚ W TEJ SZAFIE UCZULONY.

AA–

A MOŻE JA MIAŁEM KATAR – JUŻ NIE PAMIĘTAM...

–HMF

...ALE ZAWSZE CHCIAŁO MI SIĘ KICHNĄĆ.

ALE W SUMIE I TAK BYŁO NIEŹLE, AŻ W JAKĄŚ SOBOTĘ
MOTONOWA BARDZO WCZEŚNIE PRZYBIEGŁA Z PRACY,
CZYLI Z CZARNEGO RYNKU...

COŚ OKROPNEGO!

WŁAŚNIE GESTAPO MNIE PRZESZUKAŁO – ZABRALI MI CAŁY TOWAR!

MOGĄ TU W KAŻDEJ CHWILI PRZYJŚĆ NA REWIZJĘ! MUSICIE STĄD ODEJŚĆ!

CO?

ALE DOKĄD MAMY PÓJŚĆ?

NIE WIEM. ALE MUSICIE IŚĆ STĄD NATYCHMIAST!

MÓJ BOŻE... TO JUŻ KONIEC!

ANDZIA ZACZĘŁA PŁAKAĆ... ALE NIE MIELIŚMY WYJŚCIA.

147

PÓJDZIEMY W KIERUNKU SOSNOWCA – PRZYNAJMNIEJ ZNAMY TAM TEREN.

ANDZIA AŻ SIĘ TRZĘSŁA OD STRACHU.

USPOKÓJ SIĘ... IDŹ, JAKBYŚMY SPACEROWALI... I ROZMAWIAJ PO NIEMIECKU.

CHODZILIŚMY GODZINAMI.

B-BESUCHEN WIR DOCH FRAU KAWKA.

GUTE IDEE.

WŁADEK, KTOŚ ZA NAMI IDZIE.

SPOKOJNIE.

ALE KIEDY MYŚMY SKRĘCALI W BOK, TO I ONI SKRĘCALI.

ES IST KALT.

JA. JA.

OCZYWIŚCIE TO JA MIAŁEM RACJĘ – ONI NIC DO NAS NIE MIELI.

UFFF

ONI TYLKO SPACEROWALI.

KRĘCIĆ SIĘ NOCĄ PO ULICACH JEST ZBYT NIEBEZPIECZNIE... MOŻE DA SIĘ UKRYĆ GDZIEŚ TU NA TEJ BUDOWIE.

DOBRZE – MAM JUŻ DOSYĆ.

BYŁ TAM GŁĘBOKO ZAPIWNICZONY FUNDAMENT...

UWAŻAJ!

WSKOCZYŁEM NAPRZÓD I NAZNOSIŁEM CEGIEŁ, ŻEBY MOGŁA ZEJŚĆ ANDZIA.

I TU MY PRZECZEKALIŚMY PARĘ ZIMNYCH GODZIN DO RANA.

ZACZYNAŁO SIĘ ROBIĆ JASNO.

CHODŹ, JAK ZMIE-
SZAMY SIĘ Z LUDŹMI
NA ULICY, TO NIKT
NIE ZWRÓCI NA NAS
UWAGI.

JESTEM ZMĘ-
CZONA I PRZE-
MARZNIĘTA...

TERAZ MO-
ŻEMY OD-
POCZĄĆ.

NA KONIEC MY ZNOWU
PRZYSZLIŚMY DO TEJ
STODOŁY Z KROWĄ.

POTEM PRZYSZŁA KAWKOWA...

K-KTO TU JEST?

SZPIGELMA-
NOWIE... NIE
MIELIŚMY
GDZIE SIĘ
PODZIAĆ.

CÓŻ... ZOSTAŃCIE. ALE PA-
MIĘTAJCIE: JA NIC
O TYM NIE WIEM,
ŻE TU JESTEŚCIE!

ALEŻ PANI SZPIGELMANOWA,
PANI SIĘ TRZĘSIE!

NIECH PANI WEJDZIE ZE MNĄ
DO DOMU NA GODZINKĘ, TO
PANI SIĘ OGRZEJE.

WZIĘŁA ANDZIĘ DO ŚRODKA, A MNIE PRZYNIOSŁA
JEDZENIE... W TAMTE CZASY JA BYŁEM TAKI SILNY,
ŻE MÓGŁBYM SIEDZIEĆ CAŁĄ NOC NAWET W ŚNIEGU...

NIEMOŻLIWE ŻEBY
WSZĘDZIE BYŁO TAK
ŹLE! ODDAŁBYM
WSZYSTKO, BYLE WY-
DOSTAĆ SIĘ Z POLSKI!

ZANIM WAS PRZY-
JĘŁAM, MIAŁAM
TU MŁODEGO
MĘŻCZYZNĘ
Z SYNKIEM...

DWÓCH MOICH ZNAJOMYCH
PRZESZMUGLOWAŁO ICH NA
WĘGRY. SŁYSZAŁAM, ŻE IM
OBU DOBRZE SIĘ TAM WIEDZIE.

WĘGRY!
NAPRAWDĘ?!

CHCIAŁBYM
POZNAĆ TYCH
PRZEMYTNIKÓW!

POWIEDZIAŁA, ŻE TYCH DWÓCH PRZYCHODZĄ DO NIEJ ZWYKLE W CZWARTEK NA WIECZÓR... TAMTEGO DNIA BYŁ CHYBA PONIEDZIAŁEK...

NIE ROZUMIEM... CZY NA WĘGRZECH NIE BYŁO TAK SAMO NIEBEZPIECZNIE JAK W POLSCE?

NIE. DŁUŻSZY CZAS ŻYDOM WE WĘGRZECH BYŁO **LEPIEJ**... DOPIERO POD SAM KONIEC WOJNY ICH WSZYSTKICH **TEŻ** POWYWOZILI DO AUSCHWITZ.

JA TAM BYŁEM I JA WIDZIAŁEM. TYSIĄCE – SETKI TYSIĘCY ŻYDÓW Z WĘGIER...

TAK DUŻO, ŻE AŻ BRAKŁO MIEJSCA W PIECACH, ŻEBY ICH WSZYSTKICH POCHOWAĆ.

ALE WTEDY, U KAWKOWEJ, TO MY NIE MOGLIŚMY JESZCZE TEGO WIEDZIEĆ!

WIĘC... NA DRUGI DZIEŃ POSZEDŁEM NA DEKERTA PO ZAKUPY...

MÓJ BOŻE! MÓJ BOŻE! SZPIGELMAN. PAN ŻYJE! TAK SIĘ CIESZĘ, ŻE PANA WIDZĘ.

PANI MOTONOWA!

SZUKAŁEM KONTAKTU DO JAKIEJŚ NOWEJ KRYJÓWKI. ALE WCALE SIĘ NIE SPODZIEWAŁEM TRAFIĆ ZNOWU NA **NIĄ**.

NAJŚWIĘTSZA PANIENKO! JESTEŚCIE BEZPIECZNI! NIE MOGŁAM **SPAĆ**, TAKIE MIAŁAM WYRZUTY SUMIENIA, ŻE WAS WYGNAŁAM.

GESTAPO WCALE DO MNIE NIE PRZYSZŁO. PANIKOWAŁAM BEZ SENSU.

PROSZĘ, WRÓĆCIE DO MNIE.

ANDZIA SIĘ CIESZYŁA, ŻE MY WRACAMY. MOTONOWA TEŻ... JA JĄ DOBRZE PŁACIŁEM.

JESZCZE W TEN SAM WIECZÓR POŻEGNALIŚMY SIĘ Z KAWKOWĄ I ZNOWU POSZLIŚMY DO SZOPIENIC.

KRÓTKO PO TYM, JAK WRÓCILIŚMY...

NO, MÓJ MĄŻ PISZE, ŻE PRZYJEŻDŻA NA SWÓJ DZIESIĘCIODNIOWY URLOP.

GDYBY SIĘ DOWIEDZIAŁ, ŻE TU JESTEŚCIE, TO WYGNAŁBY NAS **WSZYSTKICH**. ALE NIE MARTW- CIE SIĘ... BĘDZIECIE BEZPIECZNI W PIWNICY.

...POŁOŻYŁAM MATERAC... BĘDĘ DO WAS SCHODZIĆ, KIEDY TYLKO SIĘ DA.

A WIĘC DNI I NOCE SIEDZIELIŚMY W PIWNICZNEJ KOMÓRCE...

ZA DNIA BALIŚMY SIĘ, ŻEBY ODDYCHAĆ – LOKA- TORZY CZĘSTO SCHODZILI DO **SWOICH** PIWNIC.

NOCĄ POSZURAĆ SIĘ BYŁO NIECO SWOBODNIEJ. ALE MIELIŚMY ZA TO INNY KŁOPOT...

AIII!

C-CO JEST?

T-TU BIEGAJĄ **SZCZURY**!

CICHO – USPOKÓJ SIĘ, PRZESTAŃ WRZESZCZEĆ.

TO NIE SĄ SZCZURY. ONE SĄ BARDZO MAŁE. JEDEN PRZEBIEGŁ MI WCZEŚ- NIEJ PO RĘCE. TO TYLKO **MYSZY**!

OCZYWIŚCIE, ŻE TO **BYŁY** SZCZU- RY. ALE JA CHCIAŁEM, ŻEBY ANDZIA TROCHĘ SIĘ ODPRĘŻYŁA.

151

A POTEM MOTONOWA PRZESTAŁA DO NAS SCHODZIĆ.

JUŻ OD 3 DNI NIE PRZY-NIOSŁA NIC DO JEDZENIA.

MASZ TU... ZJEDZ JESZCZE CUKIERKA.

ZOSTAŁY JESZCZE CUKIERKI, Z DEKERTA. TYLKO TO NAM ZOSTAŁO DO JEDZENIA.

POZA TYM TUTAJ NIE BYŁO JAK SIĘ UMYĆ, WIĘC AN-DZIA DOSTAŁA OKROPNĄ WYSYPKĘ PO CAŁYM CIELE.

JUŻ NAWET NIE WIEM, CO GOR-SZE – GŁÓD, CZY SWĘDZENIE.

NIE DRAP! TO TYLKO

PSST!

KLIK

DRZWI.

PRZYKRO MI, ALE NIE MO-GŁAM ZEJŚĆ WCZEŚNIEJ... MÓJ MĄŻ COŚ PODEJRZEWA.

DZIWIŁ SIĘ, ŻE TAK CZĘSTO SCHODZĘ DO PIWNICY. PYTAŁ NAWET, CZY NIE CHOWAM TU **ŻYDÓW**! TYLKO **ŻARTOWAŁ**, NO ALE...

A U WAS WSZYST-KO DOBRZE?

TUTAJ SĄ **SZCZURY**, GIGANTY-CZNE SZCZURY! TO OKROPNE!

CÓŻ – LEPSZE JUŻ CHYBA SZCZURY NIŻ GESTAPO... SZCZURY PRZYNAJ-MNIEJ WAS NIE **ZABIJĄ**!

MMM...

I ONA MIAŁA RACJĘ. MOGLIŚMY SIĘ TYLKO CIESZYĆ ŻE MAMY CHOĆ **TAKIE** WARUNKI.

JAK ZA DZIESIĘĆ DNI JEJ MĄŻ WYJECHAŁ, ZNOWU NAS WZIĘŁA DO SIEBIE.

ALE DOBRZE BYĆ Z POWRO-TEM W DOMU, CO, WŁADKU?

JEST TU DUŻO MILEJ NIŻ W TEJ PIWNICY.

ALE JA NIE CZUŁEM SIĘ BEZPIECZNIE. BYŁO ZA DUŻO MOŻLIWOŚCI, ŻE KTOŚ NAS TU ZNAJDZIE. JA WOLAŁEM PRZEDOSTAĆ SIĘ NA WĘGRY.

WIĘC JAK PRZYSZEDŁ CZWARTEK, JA POSZEDŁEM NA PRZYSTANEK TRAMWAJU, ŻEBY JECHAĆ DO SOSNOWCA, DO KAWKOWEJ.

PATRZ-CIE!

ŻYD! ŻYD!

JA MUSIAŁEM PRZEJŚĆ KOŁO BAWIĄCYCH SIĘ DZIECI.

Z KRZYKIEM POBIEGLI DO DOMU.

NA POMOC! MAMO! ŻYD!!

ŻYD!

NATYCHMIAST WYBIEGŁY MATKI ZOBACZYĆ, CO SIĘ DZIAŁO!

TE MATKI CIĄGLE MÓWIŁY DO DZIECI: UWAŻAJ! PRZYJDZIE ŻYD, ON CIĘ WSADZI DO TORBY, CIĘ PORWIE I POŻRE! ONE TAK ICH STRASZYŁY, TEGO UCZYŁY.

JA PODSZEDŁEM DO NICH...

HEIL HITLER.

GDYBYM JA UCIEKAŁ, ONI BY POWIEDZIELI: TAK, TO JEST ŻYD.

NIE BÓJCIE SIĘ, MOI MALEŃCY. NIE JESTEM ŻYDEM. NIC WAM NIE ZROBIĘ.

PRZEPRASZAMY PANA. WIE PAN, JAKIE SĄ DZIECI... HEIL HITLER.

WIĘC JA WYSZEDŁEM CAŁO...

ALE TO PRZEŻYCIE MNIE KOSZTOWAŁO DUŻO WŁOSÓW Z GŁOWY.

JAK JA DOTARŁEM DO KAWKOWEJ, DWÓCH SZMALCOWNIKÓW JUŻ SIEDZIAŁO W KUCHNI.

PROSZĘ ZACZEKAĆ W POKOJU OBOK, ONI ZARAZ DO PANA PRZYJDĄ.

PAN MANDELBAUM!

WŁADEK SZPIGELMAN!

MANDELBAUM MIAŁ PRZED WOJNĄ SKLEP SŁODYCZOWY.

ZAWSZE Z ANDZIĄ KUPOWALIŚMY OD NIEGO CIASTKA. W SOSNOWCU ON BYŁ BARDZO BOGATY CZŁOWIEK.

TO MOJA ŻONA... A MOJEGO BRATANKA ZNASZ.

WITAJ, ABRAHAM. CO WY TU ROBICIE WSZYSCY RAZEM?

DAWNIEJ JAK JESZCZE BYŁO GETTO, Z ABRAHAMA BYŁA FISZA W JUDENRACIE.

PRÓBUJEMY SIĘ WYDOSTAĆ Z POLSKI—

—NA WĘGRY?! TAK. MY Z ANDZIĄ TEŻ CHCEMY TO SOBIE ZAŁATWIĆ.

SZMALCOWNICY OPISALI, JAK ONI CHCĄ TO ZROBIĆ.

...A OD GRANICY NASI WSPÓLNICY PRZEPROWADZĄ WAS PRZEZ GÓRY.

UUU – RYZYKOWNE I BARDZO DROGIE!

MÓWILIŚMY JIDYSZ, ŻEBY POLACY NAS NIE ROZUMIELI.

NIE, VAS DENKST DIE?

YECH, KENN DIE FRAU KAWKA, UBER YECH BIN NISH ZICHER VEGEN DIE ZWEI.

No i co uważasz?

Znam Kawkową, ale tych dwu nie jestem pewien.

HERR MECH TSE! YECH GEI KOIDEM MIT ZEI. AZ ALLES VET ZEIN BESEDER, YECH VIL SCHREIBEN TSE DEYER.

Słuchaj! Pojadę przodem. Jeśli wszystko okaże się w porządku, napiszę.

POZOSTALI CHCĄ TO JESZCZE PRZEMYŚLEĆ, ALE JA JESTEM GOTÓW JECHAĆ CHOĆBY ZARAZ.

ŚWIETNIE, ŚWIETNIE.

UMÓWIŁEM SIĘ Z MANDELBAUMEM, ŻEBY SIĘ SPOTKAĆ ZNOWU I ŻE JAK PRZYJDĄ DOBRE WIEŚCI, TO JEDZIEMY.

ALE CO TYLKO JA WSPOMINAŁEM PROJEKT DO ANDZI...

NIE, WŁADEK! OSZALAŁEŚ! TO ZBYT NIEBEZPIECZNE!

ALE JEŚLI PRZYJDĄ WIEŚCI OD ABRAHAMA—

TU JESTEŚMY BEZPIECZNI – ZAPOMNIJ O TYCH WĘGRZECH!

ALE CO MY ZROBIMY, JAK GESTAPO PRZYJDZIE TU NA REWIZJĘ W POSZUKIWANIU NIELEGALNYCH TOWARÓW?... ALBO SĄSIADKA WYPATRZ NAS PRZEZ OKNO W KUCHNI?

JA NIE JADĘ!

A CO, JAK JEJ MĄŻ SIĘ O NAS DOWIE? PRZECIEŻ CHOĆBY CHŁOPCU MOŻE SIĘ COŚ WYPSNĄĆ!... TA WOJNA MOŻNA POTRWAĆ NASTĘPNE CZTERY ALBO PIĘĆ LAT. CO ZROBIMY, JAK SIĘ NAM PIENIĄDZE SKOŃCZĄ?

PROSZĘ!

NA WĘGRZECH MOGLIBYŚMY ZNOWU CHODZIĆ PO ULICACH, JAK LUDZIE... DOTĄD DOBRZE SIĘ TOBĄ OPIEKOWAŁEM – MUSISZ MI ZAUFAĆ.

TAK SIĘ BOJĘ. =CHLIP=

PANIE SZPIGELMAN, NIECH PAN TEGO NIE ROBI – TO NIE JEST BEZPIECZNE! PRZECIEŻ NIC PAN NIE WIE O TYCH SZMALCOWNIKACH.

=SNF= DO NIEGO TO JAK DO ŚCIANY.

NIE WYRUSZYMY, DOPÓKI SIĘ NIE PRZEKONAMY, ŻE NASZ ZNAJOMY DOTARŁ NA MIEJSCE.

MIAŁAM OKROPNE SNY NA TEMAT WASZEJ PODRÓŻY – PROSZĘ WAS, ZOSTAŃCIE U MNIE!

SNF

CHWILECZKĘ – A PAN DOKĄD SIĘ TERAZ WYBIERA?

ODWIEDZIĆ KUZYNA. ZOBACZĘ GDZIE SIĘ UKRYWA. BO JEŚLI JEDNAK WYJEDZIEMY, TO MOŻE JEMU LEPIEJ BY BYŁO TUTAJ, U PANI!

MILOCH POMÓGŁ MNIE NA ŚRODULI. MOŻE TERAZ PRZYDAŁOBY SIĘ, ŻEBYM JA POMÓGŁ MU.

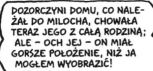

DOZORCZYNI DOMU, CO NALE-
ŻAŁ DO MILOCHA, CHOWAŁA
TERAZ JEGO Z CAŁĄ RODZINĄ;
ALE – OCH JEJ – ON MIAŁ
GORSZE POŁOŻENIE, NIŻ JA
MOGŁEM WYOBRAZIĆ!

JA WZIĄŁEM TAM TROLEJBUS.

DZIEŃ DOBRY
– JESTEM WŁA-
DEK, KUZYN
MILOCHA.

TAK. UPRZE-
DZAŁ, ŻE
MOŻE SIĘ
PAN POJAWIĆ.

MAM NA GÓRZE GOŚCI.
DOPÓKI ONI SĄ, NIE
MOGĘ PANA ZAPROWADZIĆ
DO MILOCHA.

PANOWIE, TO MÓJ
KUZYN WŁADEK.

CZEŚĆ KUZYNKU,
NAPIJ SIĘ Z NAMI.

POGADALIŚMY WIĘC I ONI UWIE-
RZYLI, ŻE JA JESTEM JEJ KUZYN.

KOŃCZY SIĘ JUŻ NAM WÓDKA.
PRZYNIEŚ JESZCZE, MAŃKA.

JUŻ NIE
MAM
WIĘCEJ.

E TAM!
CHOWA
PRZED NA-
MI WÓDKĘ!

TAK SAMO JAK
TYCH ŻYDÓW
NA PODWÓRKU!

U GOSPODYNI I U MNIE KREW ZAMARŁA W ŻYŁACH...

JAK TU **NATYCHMIAST** NIE POSTAWISZ NA STOLE
NASTĘPNEJ BUTELKI, POWIEMY NA GESTAPO
O TYCH ŻYDACH, CO ICH TU TRZYMASZ!!

SPOKOJNIE
KOLEDZY.

MASZ TU, MAŃKA, KILKA MAREK. SKOCZ
PO JAKĄŚ BUTELCZYNĘ DLA KOLEGÓW.

RÓWNY GOŚĆ.
≡HYP≡

ZA 15 MINUT ONA WRÓCIŁA Z BUTEL-
KĄ I ONI JUŻ BYLI ZADOWOLENI.

WIDZISZ? TWÓJ KUZYNEK WIE,
JAK SIĘ PRZYJMUJE GOŚCI!
TWOJE ZDRÓWKO.

PILIŚMY I PILI – DOPIERO KOŁO
PÓŁNOCY ONI POSZLI W KOŃCU
DO DOMU.

MOŻEMY JUŻ DO NICH ZEJŚĆ.

NIESIE PANI MILOCHOWI ?SNF? COŚ DO **JEDZENIA**?

KARMIŁAM ICH JUŻ WCZEŚNIEJ. TO SĄ TYLKO ŚMIECI.

WARUNKI, JAKIE MIAŁ MILOCH — TO JUŻ COŚ BYŁO NIE DO WIARY.

...ZAWSZE BIORĘ ŚMIECI, ŻEBY SĄSIEDZI NIE ZACZĘLI CZEGOŚ PODEJRZEWAĆ.

PSST — MILOCH. JEST TU PAŃSKI KUZYN.

W KAŻDYM PODWÓRKU BYŁ GŁĘBOKI WSYP, ŻEBY LOKATORZY WRZUCALI TAM ŚMIECI.

W TYM ŚMIETNIKU BYŁO ODDZIELONE MALUTKIE POMIESZCZENIE — DWA METRY NA PÓŁTORA MOŻE.

WŁADEK, CIESZĘ SIĘ, ŻE WCIĄŻ JESZCZE ŻYJESZ!

MÓJ BOŻE!

ZAJRZAŁEM W DÓŁ TYLKO NA CHWILKĘ, ALE MOGŁEM WIDZIEĆ, ŻE MILOCH TAM MIESZKA Z ŻONĄ I 3-LETNIM SYNKIEM.

JAK WY W TYM MOŻECIE **ŻYĆ**? MUSICIE STRASZNIE MARZNĄĆ!

NIE MAMY WYBORU. PRZYNAJMNIEJ NASZ BUNKIER JEST POD ZIEMIĄ...

A ROZKŁADAJĄCE SIĘ ŚMIECI WYTWARZAJĄ TROCHĘ CIEPŁA.

ALE LUDZIE **WIEDZĄ,** ŻE WY TU JESTEŚCIE.

POWIEDZIAŁEM MU O TYCH POLAKACH, TAM NA GÓRZE.

CO MOŻEMY ZROBIĆ?

SŁUCHAJ — BYĆ MOŻE ANDZIA I JA WYJEDZIEMY NA WĘGRY!

JA JEMU WYTŁUMACZYŁEM, ŻE NASZA KRYJÓWKA NIE JEST MOŻE DOSKONAŁA, ALE ZAWSZE LEPSZA, NIŻ JEGO.

PRZYJDĘ ZNOWU, JAK BĘDĘ WIĘCEJ WIEDZIAŁ, TYMCZASEM ROBI SIĘ BARDZO PÓŹNO — MUSZĘ WRACAĆ DO DOMU.

I JA MIAŁEM SZCZĘŚCIE. NIKT MNIE O NIC WRACAJĄC DO SZOPIENIC NIE PYTAŁ.

157

PARĘ DNI POTEM JA ZNÓW POSZEDŁEM DO SZMALCOWNIKÓW I ZNÓW SPOTKAŁEM TAM MANDELBAUMA.

PATRZ, WŁADEK – MÓJ SIOSTRZENIEC JEST **BEZPIECZNY**! ONI DALI MI LIST OD NIEGO.

LIST BYŁ W JIDYSZ I NAPRAWDĘ POD-PISANY PRZEZ ABRAHAMA. WIĘC OD RAZU MY USTA-LILIŚMY, ŻEBY JECHAĆ.

ALE ANDZIA NIE CHCIAŁA JECHAĆ ZA NIC...

WŁADEK, PROSZĘ CIĘ, ODWOŁAJ TO.

ALE WSZYSTKO JUŻ ZAŁATWIONE. DAŁEM IM NAWET POŁOWĘ PIENIĘDZY!

NIE! NIE! NIE! TO MUSI BYĆ JAKIŚ PODSTĘP!

ZASTANÓW SIĘ TYLKO. WIDZIAŁEM LIST ABRAHAMA NA MOJE WŁASNE OCZY!

I C-CO TAM BYŁO NA-PISANE?

„KOCHANI CIOCIU I WUJKU, WSZYSTKO TU JEST WSPA-NIAŁE. DOTARŁEM BEZ-PIECZNIE. JESTEM WOLNY I SZCZĘŚLIWY. NIE TRAĆCIE CZASU. DOŁĄCZCIE DO MNIE JAK NAJSZYBCIEJ. WASZ KOCHAJĄCY SIOSTRZENIEC, **ABRAHAM**".

N-NIE WIEM...

WYJEŻDŻAMY POJUTRZE Z DWORCA KOLEJOWEGO W KATOWICACH.

NA KONIEC UDAŁO SIĘ JĄ PRZEKONAĆ.

WIĘC POSZEDŁEM JESZCZE RAZ DO MILOCHA W JEGO BUNKRZE ŚMIETNIKOWYM I POWIEDZIAŁEM, JAK SIĘ MA DOSTAĆ DO SZOPIENIC...

I TY WIESZ, MILOCH I ŻONA Z SYNKIEM PRZETRWALI CAŁĄ WOJNĘ... TAM SCHO-WANI... U MOTONOWEJ...

ALE DLA MNIE I ANDZI PRZEZNACZONY BYŁ INNY LOS...

BEZ PROBLEMU MY DOJECHALIŚMY NA TROLEJBUSIE NA UMÓWIONE MIEJSCE Z MANDELBAUMEM I SZMALCOWNIKAMI.

WSZYSTKO JEST ZAŁATWIONE. OTO WASZE BILETY.

MIAŁEM MAŁĄ TORBĘ PODRÓŻNĄ. JAK MNIE REJESTROWALI, ZROBILI REWIZJĘ WSZYSTKICH RZECZY.

PO TROCHU, DŁUBIĄC ŁYŻKĄ, ON WYCIĄGNĄŁ CAŁĄ PASTĘ.

TO BYŁ TEN SAM ZEGAREK, CO GO MI DAŁ TEŚĆ NA PREZENT NA ŚLUB.

A TO CO? PASTA DO BUTÓW?

TAK. LUBIĘ DBAĆ O SIEBIE.

NO, NO... ZŁOTY ZEGAREK. WY ŻYDZI **ZAWSZE** MACIE JAKIEŚ ZŁOTO.

JA JEGO TAM TRZYMAŁEM ZAWINIĘTEGO FOLIĄ... TO BYŁ MÓJ OSTATNI SKARB.

NO NIEWAŻNE... ZABRALI GO I MNIE WRZUCILI DO CELI RAZEM Z MANDELBAUMEM...

CHWILECZKĘ! A CO SIĘ STAŁO Z ABRAHAMEM?

Z KIM?

A, MANDELBAUMA BRATANEK! TAK. ON, TAK SAMO JAK MY, WYLĄDOWAŁ DO KONCENTRACYJNEGO OBOZU.

ALE...

TAK. JA TOBIE O NIM OPOWIEM – ALE TERAZ MÓWIĘ, JAK MY SIEDZIMY W TYM WIĘZIENIU...

DALI NAM BARDZO MAŁO JEŚĆ, CO NAJWYŻEJ ZUPA RAZ W DZIEŃ – SIEDZIELIŚMY TAK I NIE BYŁO CO ROBIĆ.

...MNIEJ WIĘCEJ CO TYDZIEŃ WYWOŻĄ CZĘŚĆ WIĘŹNIÓW CIĘŻARÓWKĄ.

PRZEPRASZAM... CZY KTOŚ ZNA MOŻE NIEMIECKI?

CZEMU, TAK JAK INNYCH, NIE POŚLĄ NAS DO PRACY?

TO ZNACZY, ŻE NIE POBĘDZIECIE TU DŁUGO...

RODZINA PRZYSŁAŁA MI WŁAŚNIE PACZKĘ ŻYWNOŚCIOWĄ. JAK IM ODPISZĘ, TO PRZYŚLĄ NASTĘPNĄ, ALE WOLNO PISAĆ TYLKO PO NIEMIECKU.

PO PARU DNIACH ON ZNOWU DOSTAŁ PACZKĘ...

TO DZIĘKI PANU! PROSZĘ BRAĆ, CO PAN CHCE, DLA SIEBIE I DLA PAŃSKIEGO PRZYJACIELA!

JA **DOBRZE** ZNAŁEM PO NIEMIECKU... WIĘC JA NAPISAŁEM...

TO BYŁY JAJKA... TAM BYŁY NAWET CZEKOLADKI... TO BYŁO SZCZĘŚCIE DOSTAĆ TAKICH WSPANIAŁOŚCI!

MÓJ BOŻE.

TAK. TAK BYŁO.

A JAK OTWORZYLI CIĘŻARÓWKĘ, POPCHNĘLI MĘŻCZYZN DO JEDNEJ STRONY, A KOBIETY DO DRUGIEJ...

ANDZIA I JA POSZLIŚMY KAŻDE W RÓŻNE KIERUNKI I NIE MOGLIŚMY WIEDZIEĆ, ŻE JESZCZE SIĘ KIEDYŚ ŻYWI ZOBACZYMY.

I WŁAŚNIE W TYM MIEJSCU **SZCZEGÓLNIE** PRZYDADZĄ SIĘ MAMY PAMIĘTNIKI. DOWIEM SIĘ COŚ O TYM, PRZEZ CO ONA PRZESZŁA, KIEDY WAS ROZDZIELILI.

JA CI POWIEM, ŻE ONA PRZESZŁA PRZEZ TO SAMO, CO JA: **OKROPNOŚĆ!**

ROBI SIĘ ZIMNO. MOŻE PÓJDZIEMY TERAZ NA GÓRĘ I POSZUKAMY TYCH JEJ ZESZYTÓW...

NIE, NIE... JA JUŻ SZUKAŁEM...

JUŻ ICH SIĘ **ZNALEŹĆ** NIE DA!

TO... MOŻE POSZUKAJMY W GARAŻU. TRZYMASZ TAM MASĘ RZECZY.

NIE. TY ICH NIE ZNAJDZIESZ. BO JA DOPIERO SOBIE **PRZYPOMNIAŁEM**, CO IM SIĘ STAŁO...

TE ZESZYTY I TE INNE PIĘKNE RZECZY PO MATCE... JA MIAŁEM KIEDYŚ JEDEN BARDZO ZŁY DZIEŃ... I TO WSZYSTKO JA **ZNISZCZYŁEM**.

COŚ TY ZROBIŁ?

163

MAUS

Myszka Miki jest najbardziej haniebnym ideałem, jaki kiedykolwiek został wynaleziony... Zdrowy rozsądek podpowiada każdemu myślącemu, dorastającemu i prawemu młodzieńcowi, że to obrzydliwe, brudne plugastwo, ten największy nosiciel bakterii w świecie zwierzęcym, nigdy nie może stać się prawdziwym zwierzęciem — przykładem do naśladowania... Koniec ze zdziczałością narodów za sprawą Żydów! Precz z Myszką Miki! Noście swastyki!

z artykułu w niemieckiej gazecie codziennej na Pomorzu, połowa lat trzydziestych

DLA RYSIA

ORAZ NADJI
I DASHIELLA

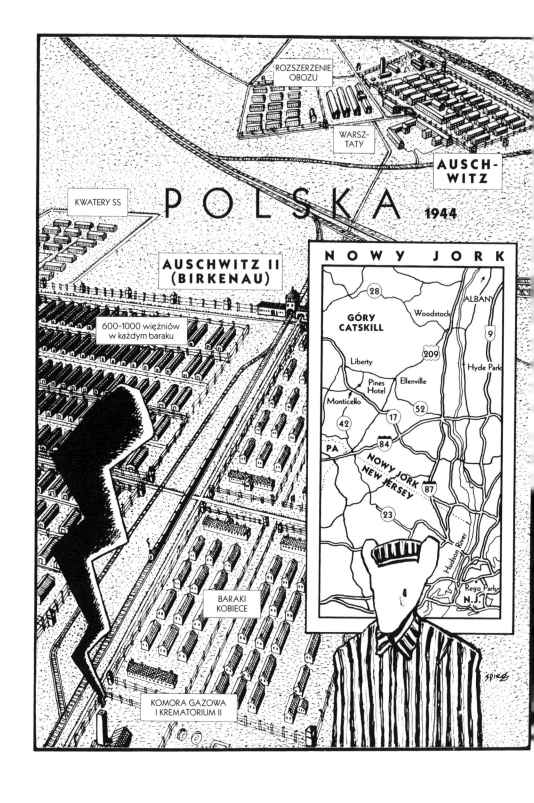

I TU SIĘ ZACZĘŁY MOJE KŁOPOTY

(Z MAUSCHWITZ DO CATSKILLS I DALEJ)

SPIS TREŚCI

ROZDZIAŁ PIERWSZY

173

MAM! OBRAZEK PIERWSZY: OJCIEC NA SWOIM ROWERKU GIMNASTYCZNYM...

MÓWIĘ MU, ŻE WŁAŚNIE OŻENIŁEM SIĘ Z ŻABĄ...

OBRAZEK DRUGI: OJCIEC Z WRAŻENIA SPADA Z ROWERU.

WIĘC TY I JA IDZIEMY DO MYSIEGO RABINA. ON WYPOWIADA MAGICZNE ZAKLĘCIE. NO I PACH!...

POD KONIEC STRONY ŻABA ZMIENIA SIĘ W PIĘKNĄ MYSZ!

HMM

PRZESZŁAM NA JUDAIZM TYL- KO PO TO, ŻEBY USZCZĘŚLIWIĆ WŁADKA.

TAK, ALE JEGO NIC NIGDY NIE USZCZĘŚLIWI.

WIESZ CO, TY POWINIENEŚ BYŁ OŻENIĆ SIĘ Z TĄ - JAK JEJ BYŁO? CO Z NIĄ CHODZIŁEŚ KIEDYŚMY SIĘ POZNALI...

Z SANDRĄ?

TAK. WTEDY BYŚ PO PROSTU RYSOWAŁ MYSZY I PO SPRAWIE.

DAJ SPOKÓJ. CHODZIŁEM Z NIĄ TYLKO PO TO, ŻEBY SIĘ UWOLNIĆ OD UPRZEDZEŃ DO ŻYDÓWEK Z NOWOJOR- SKIEJ KLASY ŚREDNIEJ.

ZAWSZE PRZYPOMINAJĄ MI RODZINĘ, CO WYKLUCZA WSZELKĄ EROTYKĘ, WIĘC JA—

ART! FRANÇOISE!!

PRZED CHWILĄ DZWO- NIŁ WASZ OJCIEC! MIAŁ ATAK SERCA!

CO?

OCH NIE!

174

PODYKTO-WAŁ TEN NUMER TELEFONU.

WIDZIELIŚMY SIĘ Z NIM ZALEDWIE TYDZIEŃ TEMU... JADĄC, WSTĄPILIŚMY DO NICH, DO CATSKILLS, SPRAWIAŁ WRAŻENIE ZDROWEGO...

CZEŚĆ TATO... JAK SIĘ MASZ? A DLACZEGO TY NIE JESTEŚ W **SZPITALU**?...

CO?

ALE... **CO TAKIEGO**?! NIE **MIAŁEŚ**? W TAKIM RAZIE CZEMU...

ODESZŁA?

ALE **KIEDY**?? **CO**??? MÓW GŁOŚNIEJ, NIE SŁYSZĘ. NIE... TATO, NIE PŁACZ...

JEZU. NO, **CHYBA** TAK... JESZCZE DZIŚ?? NIE WIEM... DOBRZE, DOBRZE... POROZ-MAWIAMY POTEM...

TYLKO SIĘ NIE DENERWUJ... DOBRZE... POCZEKAJ SPO-KOJNIE. NIE. TAK... NOO, JA CIĘ TEŻ KOCHAM. DO ZOBACZENIA... PA.

UFFF.

CO SIĘ DZIEJE? CO SIĘ STAŁO?

CZY WSZYSTKO W PORZĄDKU?

ON **NIE MIAŁ** ŻADNEGO ATAKU SERCA...

CHCIAŁ SIĘ TYLKO UPEW-NIĆ, ŻE ODDZWONIĘ!

TY CHYBA **ŻARTUJESZ**! JAK MÓGŁ NAM COŚ PODOB-NEGO ZROBIĆ!

MALA GO OPUŚCIŁA. WYBRAŁA CAŁE PIENIĄDZE Z ICH KONTA I ODJECHAŁA.

ON CHCE ŻEBYŚMY Z NIM POMIESZKALI PRZEZ JAKIŚ CZAS.

MYŚLĘ, ŻE CHYBA MUSI-MY JECHAĆ.

CHYBA TAK.

JAKA SZKODA. DOPIERO CO TU PRZYJECHALIŚCIE...

JESZCZE WRÓCIMY.

NIE BIERZEMY WSZYSTKICH RZECZY, BĘDZIEMY MIELI WYMÓWKĘ, ŻEBY TAM DŁUGO NIE SIEDZIEĆ.

WŁADEK MÓWIŁ TAK, JAKBY POPADŁ W KOMPLETNĄ HISTERIĘ.

BIEDACZYSKO... JEST MI GO NAPRAWDĘ ŻAL.

TAK, MNIE TEŻ... PÓKI NIE MUSZĘ GO WIDZIEĆ - ZAWSZE JAK SIĘ SPOTKAMY, DOPROWADZA MNIE DO SZAŁU!

MM.

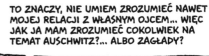

ECH...

ZNOWU MASZ DEPRESJĘ?

CIĄGLE MYŚLĘ O SWOJEJ KSIĄŻCE, TO TROCHĘ... AROGANCKIE Z MOJEJ STRONY.

TO ZNACZY, NIE UMIEM ZROZUMIEĆ NAWET MOJEJ RELACJI Z WŁASNYM OJCEM... WIĘC JAK JA MAM ZROZUMIEĆ COKOLWIEK NA TEMAT AUSCHWITZ?... ALBO ZAGŁADY?

JAKO DZIECKO CZĘSTO SIĘ ZASTANAWIAŁEM, KTÓRE Z RODZICÓW POZWOLIŁBYM HITLEROWCOM WZIĄĆ DO PIECA, GDYBYM MÓGŁ URATOWAĆ TYLKO JEDNO Z NICH...

NAJCZĘŚCIEJ OSZCZĘDZAŁEM MATKĘ. MYŚLISZ, ŻE TO NORMALNE?

NIKT NIE JEST NORMALNY.

176

CIEKAW JESTEM, CZY GDYBY RYSIU ŻYŁ, TO BYŚMY SIĘ ZE SOBĄ LUBILI.

TWÓJ BRAT?

BRAT – DUCH, PONIEWAŻ ZABILI GO, ZANIM ZDĄŻYŁEM SIĘ URODZIĆ. MIAŁ TYLKO PIĘĆ CZY SZEŚĆ LAT.

PO WOJNIE MOI RODZICE REAGOWALI NA KAŻDĄ POGŁOSKĘ I SZUKALI W SIEROCIŃCACH CAŁEJ EUROPY. NIE MOGLI UWIERZYĆ, ŻE ON ZGINĄŁ.

JA NIEWIELE O NIM MYŚLAŁEM W DZIECIŃSTWIE,... ISTNIAŁ DLA MNIE GŁÓWNIE JAKO DUŻA, ZAMGLONA FOTOGRAFIA W SYPIALNI RODZICÓW.

ACH! A JA MYŚLAŁAM, ŻE TO TY JESTEŚ NA TYM ZDJĘCIU, CHOĆ WCALE NIE JESTEŚ PODOBNY.

W TYM RZECZ. MOJE ZDJĘCIA NIE BYŁY IM POTRZEBNE W SYPIALNI... JA BYŁEM ŻYWY!

TA FOTOGRAFIA ZAWSZE BYŁA GRZECZNA I NIGDY NIE PRZYSPARZAŁA KŁOPOTU... TO BYŁO DZIECKO IDEALNE, A JA BYŁEM ZAKAŁĄ. NIE MIAŁEM ŻADNYCH SZANS.

NIGDY NIE MÓWILI O RYSIU, ALE TA FOTOGRAFIA WISIAŁA TAM JAK WYRZUT. ON ZOSTAŁBY LEKARZEM I POŚLUBIŁBY BOGATĄ ŻYDOWSKĄ DZIEWCZYNĘ... LIZUS!

ALE PRZYNAJMNIEJ ZMUSILIBYŚMY GO, ŻEBY TERAZ ZAJMOWAŁ SIĘ WŁADKIEM.

...TO UPIORNE BYĆ ZMUSZONYM DO RYWALIZACJI ZE ZDJĘCIEM NA ŚCIANIE!

NIGDY NIE MIAŁEM WOBEC RYSIA **POCZUCIA WINY**. MIEWAŁEM ZA TO NOCNE KOSZMARY – ŻE DO KLASY WYPADAJĄ SS-MANI I WYGARNIAJĄ WSZYSTKIE ŻYDOWSKIE DZIECI.

ZROZUM MNIE DOBRZE. TO NIE BYŁA ŻADNA **OBSESJA**...

OT, TYLKO CZASEM FANTAZJOWAŁEM, ŻE Z NASZEGO PRYSZNICA ZAMIAST WODY WYDOBYWA SIĘ CYKLON B.

WIEM, ŻE TO BRZMI KRETYŃSKO, ALE W PEWNYM SENSIE ŻAŁUJĘ, ŻE NIE MOGŁEM BYĆ W AUSCHWITZ **RAZEM** Z RODZICAMI, ŻEBY ZROZUMIEĆ CO ONI NAPRAWDĘ PRZESZLI!

...TO CHYBA JEDNAK MA COŚ WSPÓLNEGO Z POCZUCIEM WINY, ŻE MAM ŁATWIEJSZE ŻYCIE, NIŻ ONI MIELI.

ECH...
CZUJĘ W TYM COŚ NIESTOSOWNEGO, ŻE PRÓBUJĘ ODTWORZYĆ RZECZYWISTOŚĆ GORSZĄ NIŻ MÓJ NAJKOSZMARNIEJSZY SEN.

I USIŁUJĘ UŁOŻYĆ JĄ W **KOMIKS**! CHYBA PORWAŁEM SIĘ Z WIDŁAMI NA SŁOŃCE.

MOŻE POWINIENEM RACZEJ DAĆ SOBIE Z TYM SPOKÓJ.

TAK WIELU RZECZY NIGDY NIE BĘDĘ UMIAŁ ZROZUMIEĆ, ANI ZWIZUALIZOWAĆ. RZECZYWISTOŚĆ JEST ZBYT **ZŁOŻONA** JAK NA KOMIKS... ZA WIELE ROBI SIĘ POMINIĘĆ, ZNIEKSZTAŁCEŃ.

BĄDŹ W TYM TYLKO UCZCIWY, KOCHANIE.

MYŚLĘ, ŻE PRZECIEŻ... W RZECZYWISTOŚCI **NIGDY** NIE DAŁABYŚ MI MÓWIĆ TAK DŁUGO BEZ PRZERYWANIA.

HMMF. ZAPAL MI PAPIEROSA.

A więc w Catskills...

BUTLE TLENOWE

BRANOC, TATO.

GDZIE JEST TERAZ MALA?

POJECHAŁA NA FLORYDĘ, MY TAM KUPUJEMY MIESZKANIE. TERAZ ONA CHCE JE SPRZEDAĆ I SPRZĄTNĄĆ NASZ ZADATEK.

ALE TEGO ONA NIE MOŻE BEZ MOJEGO POD – **ARTIE!** A CO TY ROBISZ?

HE? WŁAŚNIE ZAPALAM PAPIEROSA...

LEPIEJ TY NIE POWINNEŚ PALIĆ: DLA **CIEBIE** TO JEST STRASZNE, A DLA MNIE Z MOIM SKRÓCONYM ODDECHEM, TO TEŻ NIE JEST DOBRZE BYĆ **PRZY TYM**...

ALE JAK TY JUŻ MUSISZ PALIĆ, TO TY NIE UŻYWAJ MOJE **DREWNIANE** ZAPAŁKI. NIE ZOSTAŁO MI JUŻ DUŻO. A TY JUŻ JEDNĄ UŻYWAŁEŚ DO KAWY.

TYLKO DO ZAPALENIA **PIECA** JA ICH UŻYWAM. TE DREWNIANE JA MUSZĘ **KUPIĆ!** PAPIEROWA MAM **ZA DARMO** NA RECEPCJI W PINES HOTEL.

JEZU! KUPIĘ CI CAŁE **PUDŁO** DREWNIANYCH ZAPAŁEK...

JA NIE MAM TAKIEJ POTRZEBY... PIEC JEST W DOMU AUTOMATYCZNY, A TU JA JESTEM JESZCZE 15 DNI.

I MI ZOSTAŁO JESZCZE 50 ZAPAŁEK. NO ILE JA ICH TU JESZCZE ZUŻYJĘ?...

CO ZA **KUTWA!** NIE MOGĘ JUŻ TEGO ZNIEŚĆ. WYCHODZĘ NA POWIETRZE!

ZAWSZE TEN ARTIE JEST TAKI **NERWOWY** – CAŁKIEM TAK, JAK I JEGO MATKA.

UCH.

PSST.

TY PEWNO TO JESTEŚ ARTIE... NAZYWAM SIĘ KARP. JESTEŚMY SĄSIADAMI.

TAK. TATO MÓWIŁ, ŻE PAŃSTWO SIĘ NIM ZAOPIEKOWALIŚCIE POD NIEOBECNOŚĆ MALI.

WSPOMINAŁ TO? CÓŻ... NO, EDGAR PODWIÓZŁ GO TUTAJ KILKA DNI TEMU, BO MALA WZIĘŁA SAMOCHÓD, ALE – WPADNIJ DO NAS NA CHWILĘ!

CO? NIE MOGĘ! JA... EE–

TY ZOBACZ, EDDIE, KOGO ZNALAZŁAM: TO CHŁOPAK WŁADKA, ARTIE!

O! PRZYJECHAŁEŚ ZABRAĆ OJCA DO SIEBIE?

CO TAKIEGO? NIE, JESTEŚMY TU TYLKO NA PARĘ DNI, ŻEBY MU POMÓC SIĘ POZBIERAĆ. ON ZOSTANIE DO KOŃCA SIERPNIA.

CO? MA BYĆ SAM? JAK ON SOBIE DA RADĘ?

NIE ZGINIE. ALE MOŻE BY PAŃSTWO PODWIEŹLI GO CZASEM DO MIASTA... I CZASAMI ZAJRZELI DO NIEGO...

CZEMU NIE. ALE ON JEST STARY I CHORY. NIE MOŻE BYĆ CAŁKIEM SAM...

A PO KOŃCU LATA? WTEDY WEŹMIESZ GO DO SIEBIE, CZY JAK?

NIE! NIE WIEM CO Z NIM BĘDZIE. MOŻE TRZEBA MU BĘDZIE PIELĘGNIARKI, ALBO CO.

SIOSTRA, TO ONA KOSZTUJE! MYŚLISZ, ŻE OJCIEC TO LUBI WYDAĆ PIENIĄDZE?

BIEDNA MALA. JEDEN RAZ, JAK POSZŁYŚMY DO SUPERMARKETU...

ZA GRZEBIEŃ MUSIAŁA MIEĆ OSOBNY RACHUNEK, BO ON NIE BĘDZIE PŁACIŁ ZA JEJ RZECZY OSOBISTE – I JAK TAKA PARA MA ZE SOBĄ ŻYĆ?

ART? HALO? GDZIE TY JESTEŚ, KOCHANY?

ŻONA MNIE WOŁA...

TWOJA ŻONA JEST ŻYDÓWKĄ?

(CICHO, EDGAR!) ZAPROŚ JĄ DO NAS NA LEMONIADĘ.

MOŻE PRZY INNEJ OKAZJI. TERAZ MUSZĘ JUŻ IŚĆ.

UFF.

ACH. TUTAJ JESTEŚ!...

GDZIE TY BYŁEŚ?

PORWALI MNIE KARPOWIE, ZNAJOMI WŁADKA... CZY WIESZ, ŻE NAWET ONI NIE MOGĄ Z NIM WYTRZYMAĆ?

WŁADEK WPĘDZA MNIE W KLAUSTROFOBIĘ. MUSI POPRAWIAĆ WSZYSTKO, CZEGO SIĘ DOTKNĘ – JEST CIĄGLE SPIĘTY.

ON NIGDY NIE UMIAŁ SIĘ WYLUZOWAĆ.

MOŻE TO AUSCHWITZ GO TAKIM ZROBIŁO.

MOŻE. ALE TU AKURAT MIESZKA WIELU OCALONYCH Z ZAGŁADY – JAK CI KARPOWIE – I JEŚLI SĄ STUKNIĘCI, TO ZUPEŁNIE INACZEJ NIŻ WŁADEK.

SŁUCHAJ, OKAZUJE SIĘ, ŻE Z TYMI ZAPAŁKAMI JEST JESZCZE GORZEJ, NIŻ SIĘ ZDAWAŁO...

GAZ JEST WLICZONY W CZYNSZ, WIĘC NA KUCHENCE PALI SIĘ CAŁY DZIEŃ, ŻEBY ZAOSZCZĘDZIĆ ZAPAŁKI.

BOŻE. TO BY NAWET BYŁO ŚMIESZNE, GDYBY NIE BYŁO TAKIE ŻAŁOSNE.

NO! MOJE DZIECI, WIDZĘ ŻE SIĘ DOBRZE BAWICIE, TAK? A TERAZ CHODŹCIE – POMOŻECIE MI PRZY PAPIERACH BANKOWYCH.

Parę nerwowych godzin później...

ACH, ARTIE. TY **ZNOWU** WSZYSTKO ŹLE PODODAWAŁEŚ.

ALEŻ TATO – **DWA RAZY** SPRAWDZALIŚMY, **ZGADZA SIĘ!**

AKURAT. SUMA JEST INNA JAK NA OŚWIADCZENIU. TERAZ MY MUSIMY LICZYĆ WSZYSTKO OD POCZĄTKU.

CO? TO BY POTRWAŁO 2-3 GODZINY... A RÓŻNICA JEST PONIŻEJ DOLARA. DAJMY SOBIE SPOKÓJ.

TY TO ZAWSZE BYŁEŚ TAKI **LENIWY!** KAŻDĄ PRACĘ TAK SIĘ ROBI, ŻEBY BYŁO JAK TRZEBA.

LENIWY?! ZARAZ MNIE CHYBA TRAFI SZLAG!

CHWILECZKĘ! ZRÓBCIE SOBIE PRZERWĘ, A JA POSZUKAM BŁĘDU.

TAK! RAZEM Z FRANÇOISE JA TO ZROBIĘ!

EE... DAM SOBIE RADĘ SAMA. A WY **OBYDWAJ** IDŹCIE SOBIE POSPACEROWAĆ!

WIELKIE DZIĘKI.

NO... TY MI TU NIE POMIESZAJ MIĘDZY ŻADNYMI PAPIERAMI. JAK JA WRÓCĘ TO JA SPRAWDZĘ PO TOBIE...

...ALE NA MOJE NOGI PRZYDA SIĘ TROCHĘ Z TOBĄ POSPACEROWAĆ.

HMM. DOBRA... WEZ- MĘ MAGNETOFON, TO MOŻE TEN DZIEŃ NIE PÓJDZIE NA MARNE.

185

CO TY TERAZ ZAMIERZASZ ROBIĆ, TATO?

PÓJDZIEMY DO PINES HOTEL, A POTEM MY SOBIE WRÓCIMY.

ALE CHODZI MI – W OGÓLE TERAZ, PO ODEJŚCIU MALI.

MOŻE MY TERAZ Z WAMI RAZEM ZOSTANIEMY TU NA CAŁE LATO...

JEST TAK PIĘKNIE...

MÓWIŁEM CI – FRANÇOISE I JA MOŻEMY TU ZOSTAĆ TYLKO NA WEEKEND.

TAK? TO JAK WY STĄD WRACACIE, TO I JA WRACAM.

PO CO JA MAM TUTAJ ZOSTAĆ TAKI SAM?

NO, A POTEM?

NA? A MOŻE MY ZECHCECIE MIESZKAĆ ZE MNĄ W QUEENS?

DLA MNIE MIEĆ WAS TUTAJ TO ZAWSZE JEST MIŁO... PAMIĘTAJ, ŻE MÓJ DOM JEST TAKŻE TWOIM DOMEM.

PRZYKRO MI, TATO. OBAWIAM SIĘ, ŻE NIC BY Z TEGO NIE WYSZŁO. TO ZNACZY, MY MAMY SWOJE MIESZKANIE I–

TAK. TY MNIE NIE MUSISZ ODPOWIEDZIEĆ TERAZ... TYLKO O TYM POMYŚL...

EE... CZY MOGĘ CIĘ WIĘCEJ POPYTAĆ O PRZESZŁOŚĆ I... O AUSCHWITZ?

OCZYWIŚCIE, KOCHANIE. TY MNIE MOŻESZ PYTAĆ O WSZYSTKO!

NO WIĘC... CO SIĘ STAŁO KIEDY WAS TAM Z MAMĄ DOWIEŹLI NA MIEJSCE I KIEDY WAS ROZDZIELILI?

JAK MYŚMY DOJECHALI, TO MĘŻCZYZN PCHNĘLI TU, A GDZIE INDZIEJ KOBIETY.

RAUS!

SZYBKO POMACHAŁEM ANDZI DO WIDZENIA.

ALE TY ZROZUM, ANDZIA I JA, MY NIGDY SIĘ NIE ROZDZIELILIŚMY!

NIE??

NIE! WOJNA NAS ODDZIELIŁA, ALE ZAWSZE, PRZED I PO, MY BYLIŚMY RAZEM.

NIE TAK JAK Z MAŁĄ, CO WZIĘŁA MOJE PIENIĄDZE!–

AUSCHWITZ, TATO. TY MI OPOWIADAJ O AUSCHWITZ.

AUSCHWITZ BYŁO W MIEŚCIE O NAZWIE OŚWIĘCIM. PRZED WOJNĄ JA TAM CZĘSTO BYŁEM ŻEBY SPRZEDAWAĆ TEKSTYLIA.

...A TERAZ JA ZNÓW TU BYŁEM.

STALIŚMY W WIELKIEJ SALI I ONI NA NAS KRZYCZELI.

ROZBIERAĆ SIĘ! ZOSTAWIĆ KOSZTOWNOŚCI! DO SZEREGU! SCHNELL!

BYŁEM JESZCZE RAZEM Z MOIM PRZYJACIELEM MANDELBAUMEM.

ZABRALI NASZE PAPIERY, NASZE RZECZY I NASZE WŁOSY...

(PSST – C-CO Z NAMI WSZYSTKIMI BĘDZIE?)

(NIE MARTW SIĘ.)

NAM BYŁO ZIMNO I MYŚMY SIĘ BALI.

(JAK NAS TU PRZYWIEŹLI, TO KAZALI PRACOWAĆ. JESZCZE NIE SĄ GOTOWI ŻEBY NAS ZABIJAĆ.)

(NO ALE CO Z NASZYMI ŻONAMI I–)

ZAMKNĄĆ SIĘ, ŻYDY! DO KĄPIELI. ALE SZYBKO!

WSZĘDZIE NAM KAZALI BIEC – JAKBY TO BYŁ **JOGGING** – AŻ ZAGONILI NAS DO ŁAŹNI...

LODOWATA WODA!

DZIĘKUJ BOGU, ŻE TO NIE GAZ!

TO BYŁY PRYSZNICE DO **ŻYCIA**, NIE TE GAZOWE NA **ŚMIERĆ**, CO MYŚMY O NICH JUŻ SŁYSZELI PLOTKI.

JAK MY BIEGLIŚMY PO ŚNIEGU, RZUCALI NAM PASIAKI.

SCHNELL! SCHNELL! SCHNELL!

ONI NAWET NIE **PATRZYLI** JAKI KTO DOSTAŁ ROZMIAR.

JEDEN CHCIAŁ SIĘ WYMIENIĆ.

P-PRZEPRASZAM. TE BUTY SĄ ZA MAŁE.

MOŻE **TERAZ** BĘDĄ PASOWAĆ!

KRAK

TE BUTY TO BYŁY **DREWNIANE**.

JA MIAŁEM SZCZĘŚCIE I WSZYSTKO MI DOSYĆ PASOWAŁO. TYLKO KOSZULA BYŁA PODARTA I DLA MNIE ZA DUŻA...

ZAREJESTROWALI NAS... ZABRALI OD NAS NASZE NAZWISKA A TUTAJ NAPISALI MI MÓJ NUMER.

175113

WSZĘDZIE DOOKOŁA OKROPNIE PACHNIAŁO, JAK TO POWIEDZIEĆ...
TAK SŁODKO... JAK PALONA GUMA. I TŁUSZCZ.

A TO BYŁ **ABRAHAM** – BRATANEK
MANDELBAUMA!

WUJKU!
WUJKU!

JAK MY WESZLIŚMY PRZEZ BRAMĘ,
TO KTOŚ BIEGŁ DO NAS Z ODDALI.

NO, WUJKU...
I TY TEŻ TU
WYLĄDOWAŁEŚ.

KAZAŁEŚ
NAM PRZY-
JECHAĆ!

PISAŁEŚ JAKI TO **SZCZĘŚLIWY** JESTEŚ
NA WĘGRZECH – ŻE ZARAZ I MY
MAMY TAM JECHAĆ! NO...
TO I JESTEŚMY.

ALE
WĘGRY.
HA HA!

POLACY, KTÓRZY ORGANIZOWALI NASZĄ
„UCIECZKĘ" ZNALI **JIDYSZ**. WIEDZIELI,
ŻE CZEKACIE NA WIADOMOŚĆ ODE MNIE.

W BIELSKU CI POLACY PO-
DYKTOWALI LIST, A GES-
TAPOWIEC TRZYMAŁ MI
PISTOLET PRZY GŁOWIE.

CO JA MOGŁEM
ZROBIĆ? ZABILIBY
MNIE NA MIEJSCU.

NO... TO
MAMY SWO-
JE WĘGRY...

A STĄD DLA WSZYSTKICH NAS
JEST TYLKO JEDNO WYJŚCIE...
PRZEZ TE KOMINY.

ABRAHAMA WIĘCEJ NIE WIDZIAŁEM...
PEWNIE ON WYSZEDŁ PRZEZ KOMIN.

ALE JA WIDZIAŁEM
ZNOWU TYCH, CO
NAS ZDRADZILI.

NIEMCY ICH NIE
POTRZEBOWALI.
WIĘC ONI SKOŃ-
CZYLI TAK SAMO
W AUSCHWITZ.

NAS, NOWYCH, DALI DO JEDNEJ SALI. PRZYCHODZILI CI STARZY I KAŻDY MÓWIŁ TO SAMO.

BYŁEM WYKOŃCZONY, MIAŁEM DRESZCZE I TROCHĘ PŁAKAŁEM.

ALE PODSZEDŁ DO MNIE KTOŚ Z INNEJ SALI.

CZY WIDZICIE TE KOMINY?...

TO MNIE BYŁO **CORAZ** SMUTNIEJ.

NIKT NAWET NIE **SPOJRZAŁ**.

SYNU, DLACZEGO TY PŁACZESZ?

A MAM SIĘ **CIESZYĆ**? CZY TO JAKIŚ KARNAWAŁ?

POKAŻ MI SWOJE RAMIĘ...

ON, TO BYŁ KSIĄDZ...

HMM... TWÓJ NUMER ZACZYNA SIĘ OD 17. PO HEBRAJSKU TO „K'MINIAN TOW". SIEDEMNASTKA TO BARDZO DOBRY ZNAK...

ON NIE BYŁ ŻYD, ALE BARDZO INTELIGENTNY!

NA KOŃCU 13 – TO WIEK, KIEDY MAŁY ŻYD STAJE SIĘ MĘŻCZYZNĄ.

I **POPATRZ**! CYFRY DODANE RAZEM DAJĄ 18. TO „CHAI", HEBRAJSKA LICZBA ŻYCIA.

NIE WIEM CZY JA SAM PRZETRWAM TO PIEKŁO, ALE JESTEM PEWIEN, ŻE **TY** UJDZIESZ Z ŻYCIEM.

JA ZACZĄŁEM WIERZYĆ. MÓWIĘ CI, ON WE MNIE TCHNĄŁ NOWE ŻYCIE.

I KIEDYKOLWIEK BYŁO BARDZO ŹLE, JA ZAW-SZE POWIEDZIAŁEM: „TAK. TEN KSIĄDZ MIAŁ RACJĘ! SUMA JEST 18".

UAU. TEN GOŚĆ BYŁ ŚWIĘTY!

TAK... JA JUŻ GO NIGDY NIE WIDZIAŁEM.

DLA MNIE TU BYŁO CIĘŻKO, ALE DLA MANDELBAUMA TO TU BYŁO **BARDZO** CIĘŻKO.

ALE TU, W AUSCHWITZ, MANDELBAUM TO BYŁA **ŻAŁOŚĆ.**

DO JEGO SPODNI WESZŁOBY DWÓCH TAKICH JAK ON, ALE NIE MIAŁ NAWET SZNURKA ŻEBY SIĘ PRZEWIĄZAĆ. ON CAŁY DZIEŃ JE MUSIAŁ TRZYMAĆ W JEDNEJ RĘCE...

W JEDEN BUT, ZA MAŁY STOPA NIE CHCIAŁA MU WEJŚĆ, WIĘC TEGO BUTA ON TEŻ MUSIAŁ TRZYMAĆ W RĘCE, ŻEBY MOŻE SIĘ Z KIMŚ ZAMIENIĆ.

W SOSNOWCU WSZYSCY ZNALI MANDELBAUMA. ON BYŁ STARSZY JAK JA... MIŁY CZŁOWIEK... I BARDZO BOGATY...

JEDEN BUT BYŁ WIELKI JAK KAJAK. ALE **TEGO** PRZYNAJMNIEJ ON MÓGŁ NOSIĆ.

BYŁA ZIMA I ON MUSIAŁ WSZĘDZIE CHODZIĆ PO ŚNIEGU Z JEDNĄ STOPĄ CIĄGLE NA GOŁO.

POŻYCZYSZ MI ŁYŻKĘ, WŁADEK?

OCZYWIŚCIE, ALE GDZIE TY MASZ SWOJĄ?

UPUŚCIŁEM I ZANIM ZDĄŻYŁEM SIĘ PO NIĄ SCHYLIĆ KTOŚ MI JĄ UKRADŁ.

ZA ŁYŻKĘ BYŁO MOŻNA KUPIĆ PÓŁ RACJI CHLEBA.

NO I WYLAŁEM PRAWIE CAŁĄ ZUPĘ. A JAK POPROSIŁEM O DOLEWKĘ TO MNIE **POBILI!**

JAK JA TRZYMAM MISKĘ, TO WYPADA MI BUT. A JAK PODNOSZĘ BUT, TO SPADAJĄ MI **SPODNIE...**

ALE CO MOGĘ ZROBIĆ? MAM TYLKO DWIE RĘCE!

MÓJ BOŻE, **PROSZĘ CIĘ...** POMÓŻ MI ZNALEŹĆ KAWAŁEK SZNURKA I PASUJĄCY BUT!

ALE TU BÓG NIE PRZYCHODZIŁ. BYLIŚMY ZDANI NA SIEBIE.

MANDELBAUM I JA BYLIŚMY W JEDNYM ŁÓŻKU. NIE WIEDZIELIŚMY CZEMU, BO MIEJSCA BYŁY.

ALE DZIEŃ POTEM WEPCHNĘLI TU TRANSPORT. CHYBA 400 ŻYDÓW JESZCZE.

BYŁO TAK CIASNO, ŻE CIĘŻKO SIĘ BYŁO RUSZYĆ. DO TOALETY SZŁO SIĘ 15 MINUT DEPCZĄC PO TYCH PECHOWCACH, CO MUSIELI SPAĆ NA PODŁODZE.

A WRACAJĄC JA NIE MOGŁEM ZNALEŹĆ GDZIE MOJE ŁÓŻKO.

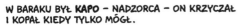

W BARAKU BYŁ **KAPO** – NADZORCA – ON KRZYCZAŁ I KOPAŁ KIEDY TYLKO MÓGŁ.

TERAZ PADNIJ NA BRZUCH. PRĘDZEJ!

USTAWIĆ SIĘ PIĄTKAMI, WY GNOJE! WYPROSTOWAĆ SIĘ!

ON TEŻ BYŁ WIĘZIEŃ, CHŁOP POLSKI Z NIEMIECKIEGO ZABORU.

POWSTAŃ! PADNIJ!

POWSTAŃ! PRĘDZEJ!

PADNIJ!

TAKI SPORT MY WYPRAWIALIŚMY CO DZIEŃ – AŻ KILKU NIE PADŁO NA ŚMIERĆ. A POTEM JESZCZE.

RAZ TEN NADZORCA BLOKU ZACZĄŁ KRZYCZEĆ DO NAS:

KTO ZNA ANGIELSKI? RĘKA DO GÓRY!

(TY POWINIENEŚ PODNIEŚĆ RĘKĘ, WŁADEK.)

(NIE...)

(JA WOLĘ NIE PODCHODZIĆ ZA BLISKO JEGO KIJA.

POZA TYM POPATRZ ILE RĄK JEST JUŻ W GÓRZE...)

WIELU ŻYDÓW Z FRANCJI UMIAŁO ANGIELSKI.

ZABRAŁ ICH – ALE SZYBKO ODESŁAŁ Z POWROTEM.

KTO ZNA ANGIELSKI I POLSKI?

TERAZ UNIOSŁO SIĘ JUŻ TYLKO MAŁO RĄK. SPRÓBOWAŁEM.

BYŁO NAS 8 LUB 9. KAŻDY MIAŁ POWIEDZIEĆ PARĘ SŁÓW.

VHERE... IST... DER PEN? DER PEN IST... IN... DER TABLE.

NASTĘPNY.

JAK POSŁUCHAŁEM INNYCH, TO JA WIDZIAŁEM, ŻE JA MAM SZANSĘ.

MÓWIŁEM MU TYLKO PO ANGIELSKU: JAK NA POLAKA, MÓWIŁEM **DOBRZE**.

YES. I GAVE PRIVATE LESSONS OF ENGLISH WHEN I LIVED THEN IN CZĘSTOCHOWA.

ON CHCIAŁ SIĘ TUTAJ UCZYĆ ANGIELSKIEGO!

YOU MANAGED TO GET THE BERLITZ BOOKS HERE! YOU STUDIED ALREADY TO CONJUGATE VERBS?

?

I ON MNIE TRZYMAŁ OSOBNO OD RESZTY.

SŁUCHAJ. JEST TU JUŻ ZA DUŻO WIĘŹNIÓW. JUTRO SS USTAWI WAS WSZYSTKICH W SZEREGU.

...TY STAŃ PO LEWEJ NA SAMYM BRZEGU.

RANO SS-MANI WYBIERALI KTO SIĘ NADAJE DO PRACY. SŁABSZYCH STAWIALI NA BOK, ŻEBY ICH ZABRAĆ NA ZAWSZE. ZANIM DOSZLI DO MNIE WZIĘLI JUŻ DOSYĆ.

MIAŁEM MANDELBAUMA BLISKO SIEBIE I MY OBAJ WRÓCILIŚMY BEZPIECZNIE.

TYCH, CO POZOSTALI, TO KAPO ZAGONIŁ DO SPRZĄTANIA BLOKU.

SZPIGELMAN, **CZEKAJ**! TY IDZIESZ ZE MNĄ!

WSZYSTKICH WYWOŁYWALI PO NUMERACH, ALE MNIE ON WOŁAŁ PO NAZWISKU.

SIADAJ TUTAJ... JA ZARAZ WRÓCĘ.

TAM JA ZOBACZYŁEM BUŁKI! JAJKA! MIĘSO! KAWĘ! CAŁY STÓŁ ZASTAWIONY! TY WIESZ CO TO BYŁO TAM OGLĄDAĆ TAKIE RZECZY?

TO JEST PEWNIE JEGO ŚNIADANIE. PATRZCIE JAK TEMU DOBRZE!

JA SIĘ BAŁEM WIDZIEĆ. BYŁEM TAKI GŁODNY, ŻE MÓGŁBYM SIĘ RZUCIĆ!

NO I NA CO TY CZEKASZ? SIADAJ I ZAJADAJ.

TO JEDZENIE BYŁO DLA MNIE.

JADŁEM, JADŁEM I JADŁEM, A ON PATRZYŁ. POTEM GO UCZYŁEM PARĘ GODZIN I TROCHĘ ROZMAWIALIŚMY.

ALE PO CO TY SIĘ UCZYSZ AN- GIELSKIEGO?

MÓWIĘ PO NIEMIECKU I PO POLSKU – I DLATEGO JESTEM **KAPO**. BEZ TEGO BYŁBYM **NIKIM**, ZUPEŁNIE TAK JAK TY...

TERAZ ALIANCI BOMBARDUJĄ REICH. A JAK ONI **WYGRAJĄ** TĘ WOJNĘ, TO **WARTO** BĘDZIE ZNAĆ I ANGIELSKI!

NO, CHYBA STARCZY NA DZIŚ. CHODŹ TERAZ ZE MNĄ.

ZDEJMIJ WSZYSTKIE CIUCHY I DOPASUJ SOBIE CO TRZEBA.

WIĘC JA WZIĄŁEM SOBIE RZECZY JAK SPOD IGŁY.

WZIĄŁEM TEŻ **PRAW-DZIWE** BUTY ZE SKÓ-RY, NIE Z DRZEWA.

ZAWSZE JA BYŁEM PRZY-STOJNY... ALE Z WSZYSTKIM DOPASOWANYM WYGLĄDAŁEM JAK ZŁOTO!

NO. JUŻ WSZYSTKO MASZ?

TAK JEST. ALE MIAŁBYM JESZCZE JEDNĄ PROŚBĘ...

...CZY MOGĘ WZIĄĆ TĘ DODATKOWĄ PARĘ BUTÓW, PASEK I ŁYŻKĘ DLA-

COOO?!

TY ŻYDZIE! JESTEŚ TU LEDWO KILKA DNI, A JUŻ SIĘ BIE-RZESZ ZA HANDEL?!

MNIE TUTAJ ROZLICZAJĄ Z KAŻDEJ PARY BUTÓW!

JA... NIE CHCIAŁEM SPRA-WIĆ KŁOPOTU. OKAZAŁ MI PAN TYLE **DOBROCI**... JA TYLKO DLA PRZYJACIELA...

WYTŁUMACZYŁEM WSZYSTKO O MANDELBAUMIE.

NO... **MÓGŁBYM** „ZGUBIĆ" PASEK I ŁYŻKĘ – ALE PRZYNIEŚ MI JUTRO JEGO STARE BUTY – BO **INACZEJ!**...

POWIADAM TOBIE – BYŁEM NIESAMOWICIE BOGATYM!

195

POBIEGŁEM DO MANDELBAUMA...

WŁADEK?!! WYGLĄDASZ JAK JAKIŚ GENERAŁ!

HA! DROBNA PRZESADA, ALE MIAŁEM **FART**. A I O TOBIE PAMIĘTAŁEM...

PATRZ. MAM TU DLA CIEBIE ŁYŻKĘ.

ŁYŻKA! DZIĘKI CI, WŁADKU, DZIĘKI.

A TU MASZ PASEK – NIE BYLE SZNUREK – PRAWDZIWY PASEK!

OCH MÓJ BOŻE!

I JESZCZE COŚ: PARA DREWNIANYCH BUTÓW TWOJEGO ROZMIARU!

≡OCH≡

≡SNF≡

MÓJ BOŻE. MÓJ BOŻE. BOŻE... WŁADKU, TO JAKIŚ CUD.

TO BÓG MI ZESŁAŁ PRZEZ CIEBIE BUTY.

BYŁ TAKI SZCZĘŚLIWY, ON PŁAKAŁ... A JA TEŻ PŁAKAŁEM RAZEM Z NIM.

BYŁ Z TEGO TAKI SZCZĘŚLIWY...

TERAZ KAPO WIEDZIAŁ, ŻE MANDELBAUM TO MÓJ PRZYJACIEL I JEGO TEŻ ZOSTAWIAŁ W SPOKOJU.

CHRONIŁEM GO TAK DŁUGO, JAK JA MOGŁEM. ALE PO KILKU DNIACH NIEMCY WYBRALI GO DO PRACY...

NIKT TU NIE MÓGŁ NIC POMÓC. NO I TO BYŁ KONIEC MANDELBAUMA. JUŻ JA GO WIĘCEJ NIE ZOBACZYŁEM.

I NIE WIESZ CO SIĘ POTEM STAŁO Z MANDELBAUMEM?

ZABILI GO. ALBO ON UMARŁ. WIEM, ŻE GO WYKOŃCZYLI.

MOŻE W DRODZE DO PRACY STRAŻNIK ZERWAŁ MU CZAPKĘ.

ZASUWAJ PO CZAPKĘ – JUŻ!

NO I CO ON MÓGŁ NA TO? ON POBIEGŁ PO CZAPKĘ. A STRAŻNIK GO ZASTRZELIŁ ZA PRÓBOWANIE UCIECZKI.

STRAŻNIK DOSTAŁ GRATULACJE I PARĘ DNI URLOPU ZA UDAREMNIONĄ UCIECZKĘ.

JA NIE WIEM CZY TO TAK BYŁO Z MANDELBAUMEM – TYLKO ŻE ONI TAK CZĘSTO ROBILI...

ONI TYLKO CHCIELI WSZYSTKICH WYKOŃCZYĆ. BYŁA BARDZO CIĘŻKA PRACA I BARDZO MAŁO JEDZENIA.

...MOŻE ONI GO KOPALI I BILI PO GŁOWIE, BO ON NIE MÓGŁ DOSYĆ SZYBKO PRACOWAĆ.

...ALBO MOŻE ON ZACHOROWAŁ I DALI GO NAJPIERW DO „SZPITALA", A POTEM DO PIECA...

WIDZISZ, JAK ONI ROBILI? A TAM WCIĄŻ MIAŁEM SZCZĘŚLIWIE. DLA MNIE TO JESZCZE NIE BYŁ KONIEC.

NOWI TO SIĘ MNIE BALI. KAPO TRZYMAŁ MNIE PRZY SOBIE, NO I WYGLĄDAŁEM NA JAKIEGOŚ WAŻNIAKA.

JUTRO POTRZEBUJĄ 200 ROBOTNIKÓW. MAM TUTAJ ZAREJESTROWANYCH TYLKO 180 LUDZI... SCHOWAJ SIĘ LEPIEJ U MNIE W POKOJU...

PONAD DWA MIESIĄCE JA ŻYŁEM TU BEZPIECZNIE I UCZYŁEM GO PO ANGIELSKU.

Z TYCH, CO RAZEM PRZYJECHALIŚMY, TYLKO JA ZOSTAŁEM...

WŁADEK, CO ROBIŁEŚ, ZANIM CIĘ TU PRZYWIEŹLI?

PRACOWAŁEM PRZY **WIELU** ROZMAITYCH INTERESACH, A CO?

TRZYMAŁEM CIĘ TUTAJ NA „BLOKU KWARANTANNY" TA DŁUGO, JAK SIĘ DAŁO. TERAZ MUSZĄ CIĘ PRZYPISAĆ DO JAKIEJŚ BRYGADY... WYKWALIFIKOWANYCH TRAKTUJĄ LEPIEJ.

MOGĘ ROBIĆ WSZYSTKO, WYSTARCZY ŻE KTOŚ MI POKAŻE JAK. W GETCIE PRACOWAŁEM W STOLARNI... W SOSNOWCU BYŁEM BLACHARZEM.

BLACHARZ! ZOBACZĘ, CO SIĘ DA ZROBIĆ!

ZAWSZE WKOŁO AUSCHWITZ DUŻO BUDOWALI. DO DACHÓW BYŁO POTRZEBA DOBRYCH BLACHARZY.

TAK **NAPRAWDĘ** JA NIE BYŁEM BLACHARZ. ALE JA TROCHĘ SIĘ ZNAŁEM. W SOSNOWCU BYŁEM ZAPISANY W BLACHARNI, ŻEBY DOSTAĆ DOBRE PAPIERY. I WIDZIAŁEM JAK SIĘ TAM PRACUJE.

THE Pines
TYLKO DLA GOŚCI wstęp wzbroniony

AHA. JUŻ MI O TYM MÓWIŁEŚ. CHCIAŁBYM CIĘ JEDNAK SPYTAĆ, CO SIĘ DZIAŁO Z MAMĄ, KIEDY TY

STOP!...

Pi
TYLKO
wstęp

TU MY MUSIMY **SZYBKO** SKRĘCIĆ I **TĘDY** MY DOJDZIEMY DO PINES!

HE?

TĘDY PORTIER HOTELOWY NAS NIE ZOBACZY I TAK MY SOBIE USIĄDZIEMY NA PATIO. TAM JEST **ŁADNIE** SIEDZIEĆ. PRAWIE CODZIENNIE JA PRZYCHODZĘ PO TEJ DRODZE.

CZASEM JA TU MAM ZA DARMO LEKCJE TAŃCA, ALBO ONI DAJĄ DLA GOŚCI DARMOWĄ GRĘ W BINGO Z NAGRODAMI.

NA DOLE MAJĄ SIŁOWNIĘ Z ŁAŹNIĄ NA PARĘ I BASEN... TO MOŻE JA CIEBIE TAM ZABIORĘ JUTRO.

NIE, DZIĘKI. ALE CZY TY SIĘ NIE BOISZ, ŻE CIĘ KIEDYŚ PRZYŁAPIĄ?

PHI. Z **NASZYCH DOMKÓW WSZYSCY** TU ZAWSZE PRZYCHODZĄ. ALBO DO BRICKMAN'S HOTEL, KAWAŁEK DALEJ.

...JA TO LEPIEJ WOLĘ TU W PINES. TYLKO, ŻE TU NA SIŁOWNI ŻEBY DOSTAĆ SZAFKĘ, MUSISZ DAĆ KLUCZ OD POKOJU.

TY PATRZ. **TERAZ** ONI ROZDAJĄ KARTY NA BINGO. MY ZAGRAMY, CHCESZ?

N-NIE. WŁOŻĘ TYLKO NOWĄ KASETĘ I MOŻEMY KONTYNUOWAĆ.

RAZ JA TUTAJ **WYGRAŁEM** W BINGO. NAGRODĘ MIELI DOSTARCZYĆ DO POKOJU.

...TYLKO ŻE JA NIE MIAŁEM POKOJU.

ZA MNĄ SIEDZIAŁA MŁODA KOBIETA ROZCZAROWANA, ŻE ONA PRZEGRAŁA – ZABRAKOWAŁ JEJ TYLKO JEDEN NUMEREK...

...TO JEJ DAŁEM KARTĘ I MÓWIĘ: „JA TAM NIE DBAM O TAKIE NAGRODY – NIECH **PANI** DLA SIEBIE ODBIERZE"... ALE SIĘ CIESZYŁA!

POWIEDZIAŁEŚ, ŻE NIE JESTEŚ GOŚCIEM HOTELOWYM?

PO CO MÓWIĆ?? A CO TO JĄ MOŻE OBCHODZIĆ?

TY WIESZ, W MIEŚCIE JEST KLUB DO BINGO – 50 CENTÓW ZA KARTĘ. MALA LUBIŁA TAM IŚĆ... TO JA JEJ MÓWIĘ: „A PO CO? DLA KAWY, CO TAM DAJĄ NA KONIEC? W BINGO TO MOŻEMY GRAĆ W PINES, A KAWĘ MY MAMY W DOMU!"

...B-5... G-22...

BINGO!

Czas leci...

Władek zmarł na wylew 18 sierpnia 1982...

Françoise i ja byliśmy u niego w Catskills w sierpniu 1979.

Władek zaczął pracować jako blacharz w Auschwitz wiosną 1944...

Ja zacząłem pracować nad niniejszą stroną pod sam koniec lutego 1987.

W maju 1987 Françoise i ja spodziewamy się dziecka...

Między 16 a 24 maja 1944 w Auschwitz zagazowano ponad 100 000 Żydów z Węgier...

We wrześniu 1986, po 8 latach pracy, ukazała się pierwsza część MAUS. Zdobyła uznanie krytyki i sukces rynkowy.

W przygotowaniu jest co najmniej 15 tłumaczeń. Otrzymałem cztery poważne propozycje, żeby przerobić moją książkę na film albo TV (odmówiłem).

W maju 1968 moja matka się zabiła (nie zostawiła listu).

Ostatnio popadłem w depresję.

Uwaga, panie Spiegelman... Za chwilę zaczynamy!...

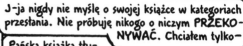

≥uff≤
Poszli sobie.

Czasem po prostu nie czuję się dorosły.

Nie mogę uwierzyć, że za kilka miesięcy zostanę ojcem*.
Duch mojego ojca wciąż mnie prześladuje.

* NADJA MOULY SPIEGELMAN, ur. 5.13.1987

Jest już 21:30 muszę ruszać na umówione spotkanie z Pavlem.

To mój terapeuta. Przyjmuje wieczorami.

Ten czeski Żyd przeżył Terezin i Auschwitz. Jestem u niego co tydzień.

Kłębi się u niego pełno zbłąkanych psów i kotów.

Cześć, Art. wchodź.

Może lepiej o nich nie wspominać, bo zepsuje mi to całą metaforę?

No, i jak się czujesz?

W kompletnym dołku. Znaczy, „kariera", dom, wszystko w jak najlepszym porządku, ale przeważnie chce mi się płakać.

Nie mogę pracować. Cały mój czas pochłaniają wywiady i oferty interesów, których nie umiem ogarnąć.

A jak zostaję sam, to czuję się kompletnie ZABLOKOWANY. Zamiast pracować nad książką, leżę tylko godzinami na kanapie, wgapiając się w plamkę na jej obiciu.

OPRAWIONE ZDJĘCIE KOTKA. NAPRAWDĘ!

205

Więc powiedz, PODZIWIASZ ojca za to, że ocalał?

No... pewnie. Wiem, że wiele tu zależało od SZCZĘŚCIA, ale on WYKAZAŁ SIĘ niesamowitą przytomnością i pomysłowością...

Uważasz, że przetrwanie zasługuje na podziw. A zatem nie przetrwanie nie jest godne podziwu?

Uffff. Ch-chyba rozumiem, o co ci chodzi, że jeśli żyć znaczy zwyciężyć, to umrzeć znaczy przegrać.

Tak. Życie zawsze staje po stronie żywych, a wina, w jakimś sensie, obciąża ofiary. Ale to nie NAJLEPSI przetrwali, ani też nie najlepsi zginęli. To był PRZYPADEK.

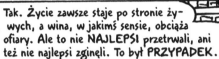

Ech, nie mówię teraz o twojej książce, ale spójrz tylko ile to już powstało książek o Zagładzie. I po co? Czy ludzie od tego stali się lepsi?...

Może trzeba im nowej, większej Zagłady?

Tak czy inaczej, ofiary nie żyją i nie opowiedzą nic ze swego punktu widzenia, może więc nie trzeba już więcej opowieści.

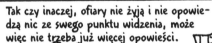

Mhm. Samuel Beckett powiedział: „Każde słowo jest jak niepotrzebna plama na ciszy i nicości".

Tak.

Ale z drugiej strony on to POWIEDZIAŁ.

I miał rację. Może byś włączył to do swojej książki.

Książka? Ha! Jaka książka? Coś we mnie w środku nie chce rysować Auschwitz, ani o tym myśleć. Nie umiem nawet zacząć sobie wyobrażać, jak tam było.

Jak było w Auschwitz? Hmm... Jak by to wytłumaczyć?...

BUU!

|||||!

No właśnie trochę tak to było. Ale ZAWSZE! Od chwili przejścia przez bramę, aż do samego końca.

A którą część książki usiłujesz sobie zwizualizować?

Ojciec pracował w blacharni niedaleko obozu. Nie mam pojęcia, jakie rysować narzędzia i przedmioty. Dokumentacji brak.

Pomyślmy. Musiała tam być gilotyna – jak taka wielka do papieru – no i parę elektrycznych wytłaczarek.

A ty skąd o tym WIESZ?

O, w dzieciństwie w Czechosłowacji, pracowałem w narzędziowni.

Ale robi się późno, a ja muszę jeszcze wyprowadzić psy.

Dobra. Do zobaczenia za tydzień...

Boże. Nie za bardzo wiem czemu...

...ale te seanse z Pavlem jakoś poprawiają mi samopoczucie...

Może da się narysować blacharnię bez wytłaczarki. Nie cierpię rysować maszynerii.

208

A więc...

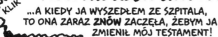

KLIK ...A KIEDY JA WYSZEDŁEM ZE SZPITALA, TO ONA ZARAZ **ZNÓW** ZACZĘŁA, ŻEBYM JA ZMIENIŁ MÓJ TESTAMENT!

TATO, PROSZĘ, TAŚMA JEST WŁĄCZONA. KONTYNU- UJMY...

WCIĄŻ JA BYŁEM CHORY I ZMĘCZONY. I TYLKO ŻEBY MIEĆ SPOKÓJ JA SIĘ ZGODZIŁEM. TO ONA PRZYPROWADZIŁA MI DO ŁÓŻKA **NOTARIUSZA.**

ALE TERAZ WRÓĆMY DO AUSCHWITZ...

15 DOLARÓW ON ZAŻĄDAŁ ZA WIZYTĘ! ŻEBY ONA ZACZEKAŁA CHOĆ TYDZIEŃ, AŻ MI BĘDZIE LEPIEJ, TO JA BYM POSZEDŁ DO BANKU I MIAŁ NOTARIUSZA ZA ĆWIERĆ DOLARA!

STARCZY! OPOWIADAJ MI O AUSCHWITZ!

ufff

OPOWIADAŁEŚ MI JAK TEN KAPO MIAŁ CI ZAŁATWIĆ PRACĘ W BLACHARNI...

TAK. CODZIENNIE TAM PRACOWAŁEM, ZARAZ NA ZEW- NĄTRZ OD OBOZU...

SZEFEM BLACHARNI BYŁ ROSYJSKI ŻYD O IMIENIU JIDL.

EJ! Z CIEBIE ŻADEN BLACHARZ. TY NIE UMIESZ TEGO NAWET RÓWNO PRZYCIĄĆ.

ALE JA TAK WŁAŚNIE ZAWSZE TO ROBIŁEM!...

PRACOWAŁEM JAKO BLACHARZ TYLKO KILKA LAT. JAK MI PAN POKAŻE O CO PANU CHODZI, TO JA SIĘ ZARAZ NAUCZĘ.

NIE PRACOWAŁEŚ UCZCIWE ANI JEDNEGO DNIA W CAŁYM SWOIM ŻYCIU, SZPIGELMAN! WIEM O TOBIE WSZYSTKO...

NIE MAM POJĘCIA SKĄD ON MÓGŁ O MNIE SŁYSZEĆ.

MIAŁEŚ WIELKIE FABRYKI I WY- KORZYSTYWAŁEŚ ROBOTNIKÓW, TY PARSZYWY KAPITALISTO!

TEN JIDL, TO ON BYŁ KOMUNISTA.

TFU! PRZYSYŁAJĄ MI TU TAKIE GÓWNO, A UCZCIWYCH BLACHA- RZY PUSZCZAJĄ PRZEZ KOMIN. PILNUJ SIĘ, BO MAM CIĘ NA OKU!

BAŁEM SIĘ. ON MI MÓGŁ NAPRAWDĘ COŚ **ZROBIĆ.**

Z INNYMI CHŁOPAKAMI JA TAM ŻYŁEM DOBRZE.

NIE MARTW SIĘ... MUSISZ TYLKO SIĘ NAUCZYĆ, JAK Z NIM POSTĘPOWAĆ...

PRZYNIEŚ MU KILKA JAJEK, TROCHĘ MASŁA ALBO SERA...

ZOBACZYSZ. ZARAZ INA- CZEJ BĘDZIE ŚPIEWAŁ.

HA! ALE SKĄD JA TO WSZYST- KO MAM WZIĄĆ?

MIEJ TYLKO OCZY OTWARTE. RÓŻNE RZECZY DA SIĘ ZORGA- NIZOWAĆ OD POLAKÓW.

POLACY Z TEJ OKOLICY TO ZATRUDNIALI U SIEBIE NIE WIĘŹNIÓW, ALE PRAWDZIWYCH ROBOTNIKÓW BUDOWLANYCH...

(PSST – ODDAM DO- BRY ZŁOTY ZEGAREK ZA KILO KIEŁBASY I SZEŚĆ JAJEK.)

(ZGODA.)

ONI NIE DOSTAWALI NIC, TYLKO ŻYWNOŚĆ Z GOSPODARSTWA. CHĘTNIE SIĘ WYMIENIALI.

SZEF PRALNI W AUSCHWITZ, TO ON BYŁ PORZĄDNY GOŚĆ, CO DOBRZE ZNAŁ MOJĄ RODZINĘ PRZED WOJNĄ...

ON MI DAŁ CYWILNE UBRANIE DO SZMUGLOWANIA POD PASIAKIEM. BYŁEM TAKI CHUDY, ŻE STRAŻ NIE WIDZIAŁA, ŻE MAM COŚ POD SPODEM.

PROSZĘ, JIDL. MAM TU DLA CIEBIE DUŻY KAWAŁ SERA.

PREZENT? NO, ŁADNIE, SZPIGELMAN.

I CO JESZCZE TAM MASZ? BOCHENEK CHLEBA? JESTEŚ BOGATY CZŁOWIEK!

CZEKAJ! CHLEBEM MUSZĘ OPŁACIĆ TEGO, CO MI PO- MÓGŁ ZORGANIZOWAĆ SER!

HMF.

TEN ŁAKOMY JIDL TO CHCIAŁ ŻEBYM RYZYKOWAŁ TYLKO DLA NIEGO. JA TEŻ MUSIAŁEM ZJEŚĆ.

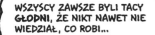WSZYSCY ZAWSZE BYLI TACY **GŁODNI**, ŻE NIKT NAWET NIE WIEDZIAŁ, CO ROBI...

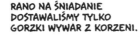RANO NA ŚNIADANIE DOSTAWALIŚMY TYLKO GORZKI WYWAR Z KORZENI.

WSTAWAŁEM PRZED WSZYSTKIMI ŻEBY IŚĆ DO TOALETY I ZDĄŻYĆ NA RESZTĘ HERBATY.

RAZ W DZIEŃ DAWALI NAM ZUPĘ Z BRUKWI. STAĆ NA POCZĄTKI KOLEJKI NIE BYŁO DOBRZE. PIERWSI DOSTAWALI SAMĄ WODĘ.

EJ! ZAMIESZAJ!

POD KONIEC BYŁO LEPIEJ – GĘSTE OPADAŁO NA SPÓD KOTŁA.

ALE ZA BARDZO NA KOŃCU TEŻ NIE BYŁO DOBRZE...

...BO WIELE RAZY TO JUŻ **WCA-LE** NIE BYŁO WIĘCEJ ZUPY.

I RAZ W KAŻDY DZIEŃ DAWA-LI NAM PO MAŁYM CHLEBKU, KRUCHYM JAK SZKŁO.

MĄKĘ MIESZALI RAZEM Z TROCINAMI – I TAKA JEDNA CEGIEŁKA MUSIAŁA CI WYSTARCZYĆ NA CAŁY DZIEŃ.

WIĘKSZOŚĆ POŁYKAŁA TO OD RAZU, ALE JA ZAWSZE ODŁOŻYŁEM POŁOWĘ NA PÓŹNIEJ.

A NA WIECZÓR BYŁ ZEPSUTY SER ALBO DŻEM. JAK MIELIŚMY SZCZĘŚCIE, TO PARĘ RAZY NA TYDZIEŃ DOSTALIŚMY PO KIEŁBASCE, TAKIEJ JAK DWA MOJE PALCE. TYLKO TYLE NAM DAWALI.

JAK SIĘ JADŁO TO, CO DAWALI, TO STARCZYŁO TYLKO ŻEBY BARDZIEJ WOLNO UMRZEĆ.

CO RANO I CO WIECZÓR ROBILI APEL. LICZYLI WSZYSTKICH ŻYWYCH I MARTWYCH, ŻEBY WIDZIEĆ, CZY KOGO NIE BRAKUJE...

NIERAZ TO MY STALIŚMY CAŁĄ NOC, A ONI LICZYLI CIĄGLE OD NOWA.

NA NASZYCH APELACH BYŁ TAKI JEDEN STARZEC I ON STALE NARZEKAŁ...

CZEMU MNIE TRZYMACIE TU Z TYMI ŻYDAMI I POLAKAMI!

JESTEM NIEMCEM, JAK I WY!

MAM MEDALE OD SAMEGO CESARZA. MÓJ SYN JEST NIEMIECKIM ŻOŁNIERZEM.

ONI JEGO TYLKO BILI I SIĘ ŚMIALI.

A TO NAPRAWDĘ BYŁ NIEMIEC?

KTO TO WIE... BYLI TEŻ WIĘŹNIOWIE NIEMCY... ALE DLA NIEMCÓW TO ON BYŁ ŻYD!

NA JEDEN APEL ON NIE STANĄŁ DOSYĆ PROSTO I JEGO STRAŻNIK ZABRAŁ NA BOK. MÓWILI, ŻE PCHNĄŁ GO NA ZIEMIĘ I Z CAŁĄ SIŁĄ SKOCZYŁ MU NA GARDŁO...

ALBO POSŁALI GO DO GAZU. NIE PAMIĘTAM, W KAŻDYM RAZIE WYKOŃCZYLI GO I ON JUŻ WIĘCEJ NIE NARZEKAŁ.

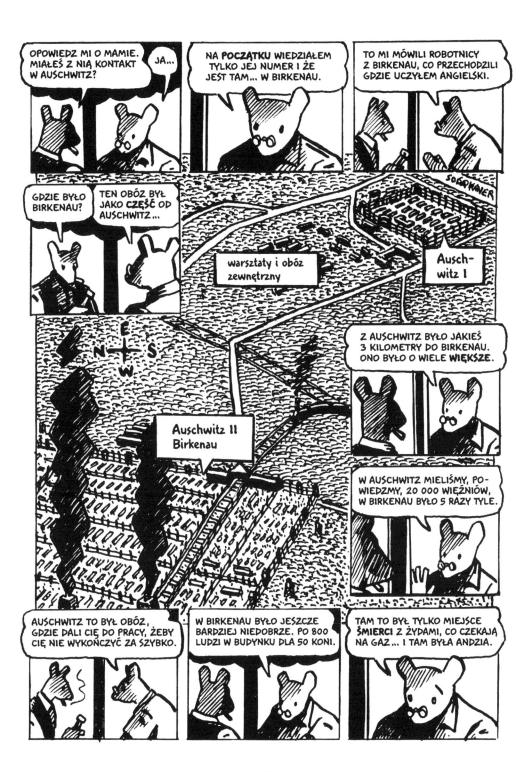

CHODŹ... JUŻ CZAS ŻEBY SIĘ POŚPIESZYĆ NA LUNCH. POWRACAM DO DOMU.

NO WIĘC CZY MIAŁEŚ JAKIŚ **KONTAKT** Z ANDZIĄ W BIRKENAU?

JA. MIAŁEM Z MAMĄ KONTAKT PRZEZ MAŃCIĘ, ZANIM POTEM ANDZIĘ PRZE—

ZARAZ! KTO TO MAŃCIA?

MAŃCIA TO BYŁA WĘGIERKA, KTÓRA CZASEM U NAS PRACOWAŁA. PIĘKNA. WYSOKA BLONDYNKA. I MĄDRA.

ODPOCZNIJ ZA TĄ STERTĄ DREWNA. JAK SIĘ STRAŻNIK BĘDZIE ZBLIŻAŁ, DAM CI ZNAĆ.

MIAŁA KOCHANKA SS-MANA, POTEM SŁYSZAŁEM. ZAŁATWIŁ JEJ DOBRĄ POZYCJĘ, NADZOROWAŁA 10-12 DZIEWCZYN.

(PSST, PANIENKO... TUTAJ! WIDZĘ, ŻE JESTEŚ DOBRA. POMÓŻ MI, PROSZĘ!)

HE? (CZEGO TY CHCESZ?)

(NIC DLA SIEBIE, ALE BOJĘ SIĘ O MOJĄ ŻONĘ W BIRKENAU. MOŻESZ SIĘ DOWIEDZIEĆ, CZY ONA ŻYJE?)

POWIEDZIAŁEM JEJ ANDZI NAZWISKO I NUMER.

(ZAOSZCZĘDZIŁEM JEDZENIE. MOGĘ ZAPŁACIĆ ZA POMOC.)

(JEDZENIE ZACHOWAJ SOBIE. PRZYJDZIEMY TU DO PRACY ZA KILKA DNI. SPRÓBUJĘ SIĘ CZEGOŚ DOWIEDZIEĆ.)

CO DZIEŃ WYPATRYWAŁEM. PO 4 DNIACH BYŁA ZNOWU.

POZNAŁAM KOBIETĘ O IMIENIU ANDZIA Z SOSNOWCA. JEST BARDZO SŁABOWITA...

MÓWIŁA DO JEDNEJ Z ROBOTNIC; A JA MÓWIŁEM DO MOJEJ BLACHY, ŻEBY NIKT NIE ZAUWAŻYŁ.

KTOŚ JEJ POWIEDZIAŁ, ŻE JEJ MĄŻ ŻYJE, NA CO ONA ROZPŁAKAŁA SIĘ ZE SZCZĘŚCIA.

JA TO USŁYSZAŁEM I TEŻ ZACZĄŁEM TROCHĘ PŁAKAĆ. A MAŃCIA, ONA TEŻ PŁAKAŁA.

ZA KILKA DNI MAŃCIA ZNOWU PRZYSZŁA.

ZOSTAWIŁAM JAKIEŚ „ŚMIECI"
POD KAMIENIEM PRZY WEJŚCIU.

PRZYNIOSŁA DLA MNIE LIST –
PRAWDZIWY LIST! – OD ANDZI.

„TĘSKNIĘ ZA TOBĄ",
PISAŁA. „CO DZIEŃ
MAM OCHOTĘ RZUCIĆ
SIĘ NA ELEKTRYCZNE
DRUTY I SKOŃCZYĆ
Z TYM WSZYSTKIM.
ALE WIEŚĆ, ŻE TY
ŻYJESZ, DAJE MI
NOWĄ NADZIEJĘ..."

MÓWIŁA, ŻE JEJ KAPO ZNĘCA SIĘ I DAJE DLA ANDZI
PRACĘ, CO JEST DLA NIEJ ZA CIĘŻKA.

NAWET DLA **MNIE** TE KOTŁY BYŁY CIĘŻKIE, A DLA
ANDZI – BYŁA TAKA MAŁA – TO BYŁO NIEMOŻLIWE.

JAK BIEGANIE Z KUCHNI
Z OGROMNYMI KOTŁAMI Z ZUPĄ.

NIE BYŁA W STANIE UTRZYMAĆ
W RĘCE I ZAWSZE JEJ SIĘ **WYLAŁO**.

KAPO MOCNO BIŁA ZA TO ANDZIĘ,
ALE PRACY JEJ **NIE ZMIENIAŁA**.

A JAK ANDZIA WYLAŁA
CAŁĄ ZUPĘ, NO TO NIKT
NIE DOSTAŁ NIC JEŚĆ,
A SZCZEGÓLNIE ANDZIA.

NAPISAŁEM: „MYŚLĘ O TOBIE
ZAWSZE" I POSŁAŁEM PRZEZ
MAŃCIĘ DWIE KROMKI CHLEBA.

GDYBY SS WIDZIAŁO, ŻE ONA
WNOSI ŻYWNOŚĆ DO OBOZU,
NATYCHMIAST BY JĄ ZABILI.
ALE **ZAWSZE**
ONA WZIĘŁA.

POWIEDZIAŁA: „JEŚLI DWOJE
LUDZI TAK SIĘ KOCHA, TO JA MU-
SZĘ POMÓC, JAK TYLKO MOGĘ".

CO DZIEŃ MASZEROWAŁEM DO PRACY Z NADZIEJĄ, ŻE SPOTKAM MAŃCIĘ.

CZYTAŁEM O ORKIESTRZE OBO- ZOWEJ, KTÓRA GRAŁA MARSZA, JAK SZLIŚCIE PRZEZ BRAMĘ...

O ORKIESTRZE?...

MOGŁABY MIEĆ NOWE WIEŚCI O ANDZI.

NIE. PAMIĘTAM TYLKO MASZEROWANIE, ALE ŻADNEJ ORKIESTRY...

NIE WIEM, ALE TO JEST DOBRZE UDO- KUMENTOWANE!

NIE. PRZY BRAMIE SŁY- CHAĆ BYŁO TYLKO KRZY- KI STRAŻY.

ZA BRAMĄ STRAŻE PROWADZIŁY NAS DO WARSZTA- TÓW. SKĄD BY TAM MIAŁA SIĘ WZIĄĆ ORKIESTRA?

ROZMA- WIAŁEŚ KIEDY- KOLWIEK Z KIMŚ ZE STRAŻY?

ACH! MYŚMY BYLI PONIŻEJ ICH GODNOŚCI. NAWET NIE JAK LUDZIE. ALE BYŁ JEDEN TAKI...

JAK DO MNIE MÓWIŁ, JA ODPOWIADAŁEM. ON NAWET MIAŁ TROCHĘ SERCA.

ACH. GUTEN MORGEN. TAKA WIOSENNA POGODA PRZYPO- MINA MI DOM... NORYMBERGĘ...

TAK, BYŁEM TAM KIEDYŚ. TO PRZEPIĘKNE MIASTO.

JAK MNIE POLUBI, TO MOŻE KIEDYŚ MNIE NIE ZASTRZELI.

RAZ GO NIE BYŁO KILKA DNI...

JAKI PAN BLADY, PAN CHOROWAŁ, HERR SOLDAT?

NIE... BYŁEM... W PRACY... W BIRKENAU.

TAK... TROCHĘ SŁYSZAŁEM, CO TAM SIĘ DZIEJE...

MILCZEĆ!

I ON JUŻ WIĘCEJ BAŁ SIĘ ROZMAWIAĆ.

217

W ŚRODKU OBOZU WOŁALIŚMY NAZWISKA. BO MOŻE KTOŚ WIE, CZY NASI UKOCHANI ŻYJĄ.

EWA. EWA GOLDBERG Z ŁODZI!

ANNA ZYLBERBERG! Z SOSNOWCA!

MÓJ BOŻE. TO WŁADEK! IDĘ PO ANDZIĘ!

ALE BYŁEM SZCZĘŚLIWY. KTOŚ JAKOŚ PRZYPROWADZIŁ ANDZIĘ.

NIE PATRZ W GÓRĘ, KOCHANA, BO STRAŻNIK ZOBACZY.

WYGLĄDAŁA NICZYM SZKIELET.

MAŃCIA ODDAŁA CI MOJE LISTY?

TAK. A KIEDY TYLKO SIĘ DA, TO ZAŁATWIA MI PRACĘ W KUCHNI!

MOJE KOLEŻANKI CZEKAJĄ NA ZEWNĄTRZ. JA IM WYNOSZĘ RESZTKI.

NIE! ZACHOWAJ RESZTKI! A CO BĘDZIE JAK STRACISZ TĘ PRACĘ? A JAK COŚ SIĘ STANIE MAŃCI?

TY SIĘ NIE MARTW O SWOJE KOLEŻANKI. WIERZ MI, ONE SIĘ O CIEBIE NIE MARTWIĄ. PATRZĄ TYLKO, ŻEBY DOSTAĆ SIĘ DO TWOJEJ ŻYWNOŚCI!

ALE MOJE KOLEŻANKI SĄ **ZAWSZE** GŁODNE, A JA – JA RACZEJ NIE MAM APETYTU.

JA CIĘ ANDZIU BŁAGAM. DBAJ O SWOJE SIŁY. DLA MNIE.

JUŻ SAMO TO, ŻE CIĘ ZNOWU WIDZĘ, DODAJE MI SIŁ.

MUSZĘ IŚĆ, ZANIM KTOŚ ZAUWAŻY, ŻE MNIE NIE MA.

JA... CIĄGLE O TOBIE MYŚLĘ... ZAWSZE.

W BIRKENAU BYŁEM **KILKA** RAZY, ALE RAZ MIAŁEM **PRAWDZIWE** KŁOPOTY. WRACAJĄC Z PRACY PRZECHODZIŁEM OBOK ANDZI...

WŁADEK! WŁADEK! WŁADEK!

ANDZIA! KOCHANA! PRZESŁAŁEM CI ŻYWNOŚĆ, DOSTAŁAŚ?

TAK. TY ZAWSZE UMIESZ ROBIĆ CUDA.

MYŚLĘ O TOBIE... CIĄGLE.

MÓWILIŚMY TYLKO CHWILĘ I JA POSZEDŁEM SOBIE.

STRAŻNIK WRZASNĄŁ DO MNIE:

HALT!

Z KIM TY ROZMAWIAŁEŚ?

Z N-NIKIM...

OBCA KOBIETA PYTAŁA O SWOICH BRACI W AUSCHWITZ. NIC NIE WIEDZIAŁEM, WIĘC TEŻ NIC NIE MÓWIŁEM.

DO ŚRODKA!

ZARAZ CI TU DAM NAUCZKĘ, ŻYDOWSKI PARCHU! ZAPAMIĘTAJ SOBIE, ŻE NIE PRZYJECHAŁEŚ TUTAJ NA FLIRTY I PLOTKI.

LICZ UDERZENIA. JAK SIĘ POMYLISZ – ZACZYNAM OD NOWA!

EINS!

ZWEI!

DREI!

NO ZBIŁ MNIE, CO CI MAM MÓWIĆ? CHWAŁA BOGU, ŻE ANDZIA TEŻ NIE DOSTAŁA TAKIEGO LANIA. ONA BY TEGO NIE PRZEŻYŁA.

PRZEZ NASTĘPNE DNI BYŁO CIĘŻKO IŚĆ DO PRACY, ALE JAK-BYM POSZEDŁ DO SZPITALA, TO MÓGŁBYM STAMTĄD NIE WYJŚĆ.

TAM NIE BYŁO ŻADNEGO LECZENIA, TYLKO PEŁNO WIĘŹNIÓW ZA SŁABYCH, ŻEBY IŚĆ DO PRACY.

CODZIENNIE BYŁA SELEKCJA. LEKARZE WYBIERALI TYCH SŁABSZYCH NA ŚMIERĆ.

W CAŁYM OBOZIE BY-ŁY SELEKCJE. DWA RAZY JA STAŁEM PRZED DR MENGELE.

MUSIELIŚMY STAĆ BEZ NICZEGO, PROSTO JAK ŻOŁNIERZ. SPOJRZAŁ I MÓWI: „W LEWO ZWROT!"

PATRZYLI, CZY NA CIELE SĄ RANY, CZY MOŻE PRYSZCZE. I ZNOWU: „W LEWO ZWROT!"

PATRZYLI, JAK BRAK ŻYWNOŚCI WPŁYWA NA CHUDNIĘCIE...

W LEWO ZWROT!

JAK SIĘ MIAŁO ZDROWE CIAŁO DO PRACY, TO CIĘ PRZEPUSZCZALI I DAWALI NOWY PASIAK, AŻ DO NASTĘPNEJ SELEKCJI...

NAJPIERW, JAK TAM TRAFIŁEM, BYŁEM BAR-DZO SILNY I POSŁALI MNIE NA DOBRĄ STRONĘ.

A KTO MIAŁ RACZEJ PECHA, TO SS-MANI ZAPISALI JEGO NU-MER I POSŁALI NA DRUGĄ STRONĘ.

PRZY DRUGIEJ SELEKCJI BYŁEM W BARAKU. PRYCZĘ WYŻEJ SPAŁ MIŁY CHŁOPAK, BELG.

ŚNIŁEM, ŻE MOJA ŻONA ŻYJE. PRZYRZĄDZAŁA OGROMNĄ PIECZEŃ W GĘSTYM SOSIE, ZE SMAŻONYMI –

DOŚĆ, FELIKS! TY NIE MYŚL O JEDZENIU!

BYŁ OBIAD PROSZONY. CZEKALIŚMY NA GOŚCI I CZEKALI... I WTEDY OBUDZIŁ MNIE GONG. NAWET NIE SKOSZTOWAŁEM –

BLOCKSPERRE!

"BLOCKSPERRE" ZNACZYŁO, ŻE NIE WOLNO WYCHODZIĆ Z SALI.

ZABRALI ŻYDÓW NA SELEKCJĘ. ZNOWU POSZEDŁEM NA DOBRĄ STRONĘ, ALE TEN BELG, ON MIAŁ JAKĄŚ WYSYPKĘ I ONI ZAPISALI JEGO NUMER...

W KAŻDEJ CHWILI MOGLI GO ZABRAĆ. CAŁĄ NOC PŁAKAŁ I WRZESZCZAŁ.

AAAUUUUAAA!

MASZ, FELIKS. ZJEDZ KAWAŁEK CHLEBA...

ECH

SŁUCHAJ. WSZYSTKICH NAS TUTAJ PRZECIEŻ W KOŃCU ZABIJĄ... CIEBIE W TYM TYGODNIU, MNIE W PRZYSZŁYM...

...NIKT Z NAS NIE DA RADY PRZED TYM UCIEC. BĄDŹ DZIELNY... KTO WIE, MOŻE TO WCALE NIE TWOJA KOLEJ.

TROCHĘ SIĘ USPOKOIŁ...

ALE POTEM ZNOWU ZACZĄŁ...

AAUUUAAA!

CO JA NA TO MOGŁEM ZROBIĆ? NIE MOGŁEM KAZAĆ NIEMCOM ŻEBY GO NIE WZIĘLI... NO I NA DRUGI DZIEŃ ONI GO WZIĘLI.

221

NO... A W BLACHARNI Z JIDLEM BYŁA WCIĄŻ TA SAMA HISTORIA.

TYLKO JEDNO JABŁKO? KIEPSKO W INTERESACH, PANIE KAPITALISTO?

CO SIĘ STAŁO Z TYM SZEWCEM, CO TAM PRACOWAŁ?

DUŻO POLSKICH WIĘŹNIÓW WYSŁALI DO OBOZÓW W GŁĘBI RZESZY. WZIĘLI TEŻ KILKU MOICH CHŁOPAKÓW.

POBIEGŁEM DO KAPO, CO NADZOROWAŁ CAŁY SZOP.

POTRZEBUJESZ NOWEGO SZEWCA?

PEWNIE. TEGO, CO BYŁ, SS MI ZABRAŁO, ALE BUTY WCIĄŻ PRZYNOSZĄ!

TY WIESZ, JA SZYŁEM BUTY OD SAMEGO DZIECKA.

TY NIE WYGLĄDASZ MI NA SZEWCA... TY JESTEŚ BLACHARZ!

CZY JA TO MUSZĘ MIEĆ WYPISANE NA CZOLE?

NO DOBRA, TO NAPRAW MI... TO!

NAPRAWIAĆ BUTY JA SIĘ TROCHĘ NAUCZYŁEM PRZYGLĄDAJĄC SIĘ, JAK Z KUZYNEM MILOCHEM BYLIŚMY W SZEWSKIM SZOPIE W GETCIE.

WIEDZIAŁEM, ŻE DO TAKIEJ ODERWANEJ PODESZWY MUSZĘ WZIĄĆ PODWÓJNĄ NIĆ POSMAROWANĄ WOSKIEM.

...ROBIĘ DZIURKĘ I PRZECIĄGAM NIĆ, ALE TYLKO DO POŁOWY.

A W GÓRNEJ CZĘŚCI ROBIĘ DWIE DZIURKI RÓWNO DO PODESZWY...

TERAZ PRZECIĄGAM NIĆ PRZEZ TE DZIURKI.

KRZYŻUJĘ OBIE NICI, PRZECIĄGAM OBA KOŃCE PRZEZ NASTĘPNĄ DZIURKĘ W PODESZWIE I POWTARZAM TO TAK, AŻ BUT JEST GOTOWY.

...I TAK ON JEST ZROBIONY, ŻE NAWET NIE WIDAĆ SZWÓW!

JESTEŚ LEPSZY NIŻ NASZ DAWNY SZEWC!

TY WIDZISZ? DOBRZE JEST UMIEĆ WSZYSTKO!

NO, I TERAZ BYŁEM SZEWCEM. SIEDZIAŁEM W CIEPŁYM, OSOBNYM POMIESZCZENIU...

OFICEROWIE WOLELI U MNIE NAPRAWIAĆ BUTY, NIŻ WYSŁAĆ DO DUŻEGO SZOPU W ŚRODKU OBOZU.

HA! WIEM, ŻE JESTEŚ FACHOWYM BLACHARZEM, ALE NIE WIEDZIAŁEM, ŻE MASZ TYLE INNYCH TALENTÓW!

I TUTAJ JUŻ NIE MUSIAŁEM SIĘ MARTWIĆ, ŻE JIDL MNIE WYDA.

TO JEST NOWY BUT. MA NIE BYĆ ŚLADU PO NAPRAWIE.

PASKUDNA DZIURA... ZROBIĘ CO MOGĘ.

NA JUTRO MA WYGLĄDAĆ JAK NOWY, A JAK NIE, TO CIEBIE TU JUŻ NIE MA, ZROZUMIANO?

UMIAŁEM NAPRAWIĆ PODESZWY I OBCASY, ALE BUT TEGO GESTAPOWCA WYMAGAŁ SPECJALISTY.

WIĘC WRACAJĄC Z PRACY UKRYŁEM BUT, ŻEBY GO PRZEMYCIĆ DO PRAWDZIWEGO SZEWCA W AUSCHWITZ.

MOŻESZ TO NAPRAWIĆ? DAM CI CAŁĄ DZIENNĄ RACJĘ CHLEBA.

ZA RACJĘ CHLE- BA, JA MOGĘ NA- PRAWIĆ WSZYSTKO.

OGLĄDAŁEM UWAŻNIE, CO ON ROBIŁ, ŻEBY NA NASTĘPNY RAZ OSZCZĘDZIĆ TEGO CHLEBA.

NA DRUGI DZIEŃ BUT DLA GESTAPOWCA BYŁ GOTOWY.

ODSTAWIŁ BUT I WYSZEDŁ BEZ JEDNEGO SŁOWA.

I WRÓCIŁ NIOSĄC CAŁĄ KIEŁBASĘ.

HMM

DOBRA ROBOTA.

TY NIE MASZ POJĘCIA, CO TO BYŁO, CAŁA KIEŁ- BASA! KROIŁEM SZEWSKIM NOŻEM I JADŁEM TAK SZYBKO, ŻE SIĘ TROCHĘ POCHOROWAŁEM.

Z MOJEGO WARSZTATU NIE MOGŁEM JUŻ ROBIĆ INTERESÓW Z POLSKIMI ROBOTNIKAMI I SZMUGLOWAĆ, ALE CIĄGLE MIAŁEM SIĘ NIEŹLE...

GESTAPOWIEC, CO MU NAPRAWIAŁEM BUT, POLECIŁ MNIE DO SWOICH KOLEGÓW, WIĘC ONI TEŻ PRZYNOSILI MI BUTY I PŁACILI JEDZENIEM.

CZASEM SIĘ DZIELIŁEM Z NASZYM KAPO.

ZORGANIZOWAŁEM PARĘ JAJ – CHCESZ JEDNO?

JAKI MIŁY ŻYD! PEWNIE – MOŻEMY JE USMAŻYĆ NA MASZYNCE.

JAK SIĘ CHCE ŻYĆ, DOBRZE JEST BYĆ MIŁYM.

A TU MAMY TROCHĘ CHLEBA DO POSIŁKU.

ŚWIETNIE! A POWIEDZ MI, CO TO ZA BUDYNKI, CO ONI TAM STAWIAJĄ?

TO TYLKO NOWE WARSZTATY. ROZBUDOWUJĄ FABRYKĘ AMUNICJI *UNION WERKE*...

I STAWIAJĄ NOWE BARAKI, ŻEBY DO NICH PRZENIEŚĆ CZĘŚĆ ROBOTNIC Z BIRKENAU.

M-MOJA ŻONA JEST W BIRKENAU. CHCIAŁBYM JĄ ŚCIĄGNĄĆ DO JEDNEGO Z TYCH BARAKÓW.

HA! NIEMOŻLIWE! ŁAPÓWKI KOSZTOWAŁYBY **FORTUNĘ**!

ODWINĄŁ KAWAŁEK SERA ALE ZJADŁ GO SAM.

CZY MOŻESZ MI DAĆ TEN KAWAŁEK PAPIERU?

TAK, PEWNIE. MOŻESZ SOBIE WZIĄĆ PAPIER – ALE OD SERA WARA!

JA MUSIAŁEM NAPISAĆ DO ANDZI!

224

NAWET PAPIER TAM BYŁO TRUDNO MIEĆ. ZNAJOMI W POTRZEBIE TO ZAWSZE DO MNIE PRZYCHODZILI.

JA ZNAJDOWAŁEM I CHOWAŁEM. DO TOALETY CZĘSTO SIĘ UŻYWAŁO KAWAŁKA Z UBRANIA, ALBO RĘKI.

A CZEMU INNI NIE CHOWALI PAPIERU?

ACH! TY WIESZ JACY LUDZIE SĄ PRZEWAŻNIE!

NO... I NAPISAŁEM DO ANDZI, ŻE TERAZ JA BYŁEM SZEWCEM I ŻE SŁYSZAŁEM O TYCH NOWYCH BARAKACH...

I MAŃCIA WZIĘŁA LIST. BYŁA TAKA DOBRA, ŻE ONA **ZAWSZE** WZIĘŁA.

NA ODWROCIE MOJEGO LISTU ANDZIA ODPISAŁA MI, JAK BARDZO CHCIAŁABY BYĆ W TAKIM BARAKU BLISKO MNIE.

BARAK ANDZI MIAŁO KOŁO 1000 KOBIET I OKROPNĄ KAPO, KTÓRA BIŁA KAŻDĄ, CO SIĘ NAWINĘŁA.

ZŁODZIEJKO! WZIĘŁAŚ DRUGĄ PORCJĘ CHLEBA!

NIE, JA—

Ł-ŁADNE BUTY – SZKODA, ŻE IM PODESZWY ODPADAJĄ.

A CO TOBIE DO TEGO?

MOŻESZ JE POSŁAĆ DO MOJEGO MĘŻA. ON JEST SZEWCEM W AUSCHWITZ...

O, TO CIEKAWE...

MIAŁA SKÓRZANE BUTY – NIE Z DREWNA. BARDZO ZNISZCZONE, ALE Z PRAWDZIWE SKÓRY.

NO, I ONA PRZEKAZAŁA DO MNIE TE BUTY.

OCZYWIŚCIE, NAPRAWIŁEM TE BUDY ŁADNIE I TA KAPO BYŁA JUŻ ZUPEŁNIE INNA DO ANDZI.

TEN GAR Z ZUPĄ JEST CIĘŻKI. CHODŹ, ODPOCZNIESZ DO APELU U MNIE W POKOJU.

...ZUPEŁNIE INNA.

WCIĄŻ TYLKO MYŚLAŁEM JA CUD-
NIE BY BYŁO MIEĆ ANDZIĘ BLISKO,
W TYCH NOWYCH BARAKACH.

DAŁOBY SIĘ TO „ZAŁATWIĆ" ZA
100 PAPIEROSÓW I BUTELKĘ
WÓDKI, ALE TO BYŁ MAJĄTEK.

racja chleba = 3 papierosy

200 papierosów = butelka wódki

A SKĄD SIĘ BRAŁO PAPIEROSY?

CO TYDZIEŃ DLA NAS ROBOTNIKÓW DAWALI PO TRZY.

ROZDAWALI WAM TAKIE LUKSUSY?

NO. I JAK TY NIE PA-LIŁEŚ, TO MOGŁEŚ WYMIENIĆ NA CHLEB.

GŁODZIŁEM SIĘ, ŻEBY MÓC PRZENIEŚĆ ANDZIĘ.

CO ZORGANIZOWAŁEM, TO CHOWA-ŁEM DO PUDEŁKA POD MATERACEM.

ALE RAZ, JAK JA WRÓCIŁEM Z PRACY...

NIE MA!

JA CI MÓWIĘ, JA CHCIAŁEM PŁAKAĆ.

SKORO ZOSTAWIŁEŚ W BARAKU, TO JAK CI MOGLI NIE ZABRAĆ!

JA TEGO NIE POMY-ŚLAŁEM...

PRZECIEŻ TAM WSZYSCY UMIERALI Z GŁODU! ACH – JA TEGO NIE ROZUMIEM.

TAK – O AUSCHWITZ TO NIKT NIE UMIE ZROZUMIEĆ.

WIĘC JA DRUGI RAZ ZEBRAŁEM CAŁY MAJĄTEK I ROZDAŁEM ŁAPÓWKI, ŻEBY PRZENIEŚĆ ANDZIĘ. I NA POCZĄTKU PAŹDZIERNIKA 1944 JA ZOBACZYŁEM W NOWYCH BARAKACH KILKA TYSIĘCY KOBIET...

I MIĘDZY NIMI BYŁA ANDZIA. I TO JA ZAŁATWIŁEM. TO BYŁ JEDEN RAZ W AUSCHWITZ, ŻE JA BYŁEM SZCZĘŚLIWY.

JAK NIKT NIE WIDZIAŁ, TO CHO-
DZIŁEM WTE I WEWTE, AŻ JA
ZOBACZYŁEM Z DALEKA, JAK
IDZIE DO MAGAZYNU...

ONA TEŻ CHODZIŁA WTE I WEWTE,
AŻ NIE BYŁO BEZPIECZNIE PO-
DEJŚĆ DO MOJEJ PACZKI Z PRO-
WIANTEM...

ALE JEDEN RAZ TO BYŁO BARDZO
NIEDOBRZE.

HEJ, TY!
STÓJ!

RZUĆ TĘ PACZKĘ I ANI
KROKU DALEJ!

STAĆ!

ONA BIEGŁA – NIE PATRZĄC GDZIE
– PROSTO DO WŁASNEGO BLOKU.

BYŁA TAM TYLKO ZNAJOMA ANDZI,
JAKO SPRZĄTACZKA...

U-UKRYJ MNIE,
LONIU, PRĘDKO!

WŁAŹ POD KTÓ-
RYŚ Z TYCH
KOCÓW!

WIEM, ŻE GDZIEŚ TU
SIĘ CHOWASZ. JAK
CIĘ ZNAJDĘ, TO CIĘ
ZABIJĘ NA MIEJSCU.

TAM BYŁO KILKA SAL I SETKI ŁÓŻEK. I NA
JEDNYM Z NICH BYŁA ANDZIA, DRŻAŁA
I BAŁA SIĘ NAWET ODDYCHAĆ.

ZABIJĘ CIĘ! ZABIJĘ!

PRZEZ CAŁĄ GODZINĘ MIOTAŁA SIĘ OD SALI DO SALI, ROZGRZEBUJĄC ŁÓŻKA DO GÓRY NOGAMI.

TY! DO APELU MASZ WSZYSTKIE TE ŁÓŻKA POŚCIELIĆ.

W PORZĄDKU, ANDZIU. MOŻESZ JUŻ WYJŚĆ.

ALE NA TYM NIE BYŁ KONIEC.

NA WIECZORNY APEL ZNOWU PRZYSZŁA TA KAPO.

WIĘŹNIARKA, KTÓRA UCIEKŁA MI DZIŚ POPOŁUDNIU, WYSTĄP.

ALE MAMA NIE WYSTĄPIŁA.

LEPIEJ BĘDZIE DLA CIEBIE JAK WYSTĄPISZ, ZANIM SAMA CIĘ ZNAJDĘ!

CHODZIŁA WTE I WEWTE, WPATRYWAŁA SIĘ W KAŻDĄ TWARZ, ALE W PASIAKACH WSZYSCY WYGLĄDAJĄ TAK SAMO.

WY WIECIE KTÓRA TO Z WAS. WYDAJCIE JĄ, ALBO WSZYSTKIE POŻAŁUJECIE!

KAZAŁA IM BIEGAĆ, SKAKAĆ, ROBIĆ PRZYSIADY, AŻ WIĘCEJ JUŻ NIE MOGŁY. I ZNÓW TO SAMO OD NOWA.

I TAK PRZEZ KILKA KOLEJNYCH APELI, ALE ŻADNA Z KOLEŻANEK ANDZI NIE WYDAŁA. TY WYOBRAŹ SOBIE, CO ONE MUSIAŁY PRZEJŚĆ.

MUSIAŁEM PRZESTAĆ WYSYŁAĆ WIĘCEJ TAKICH PACZEK DO ANDZI.

ZRESZTĄ I TAK KRÓTKO POTEM STRACIŁEM TĘ PRACĘ BLISKO NIEJ. ZAMKNĘLI CAŁY WARSZTAT...

DALI NAS Z POWROTEM DO GŁÓWNEGO OBOZU I WZIĘLI MNIE DO **CZARNEJ ROBOTY**.

CZAR-NEJ RO-BOTY?

NOSZENIE WTE I WEWTE WIELKICH KAMIENI, KOPANIE DZIUR. CO DZIEŃ CO INNEGO, ALE ZAWSZE TAK SAMO. CIĘŻKA ROBOTA...

DOSTAWAŁEŚ W GŁOWĘ ALBO JESZCZE GORZEJ.

I NIE DAJ BOŻE, ŻEBYŚ CHOĆ NA CHWILĘ PRZESTAŁ, ŻEBY **ODETCHNĄĆ**.

MNIE ONI NIGDY NIE BILI, BO JA PRA-COWAŁEM BEZ ŻADNEGO USTANKU.

JA WOLAŁEM PRACĘ **WEWNĘTRZNĄ**. CZASEM BYŁEM JAKO „BETTNACH-ZIEHER"... POPRAWIACZ ŁÓŻEK.

JAK KAŻDY POŚCIELIŁ ŁÓŻKO, MYŚMY PRZYCHODZILI POPRA-WIĆ **LEPIEJ**, ŻEBY SŁOMA BYŁA NA KWADRATOWO.

CO ZA DURNA ROBOTA!

NIE. ONI CHCIELI WSZYSTKO NA RÓW-NO I W PORZĄDKU.

ALE WTEDY JA SIĘ STAŁEM ZA CHUDY, JAK ZNOWU PRZYSZŁA SELEKCJA.

ZARAZ POBIEGŁEM DO TOALETY. I JAKBY KTOŚ ZAGLĄDAŁ, TO JA MAM CHORY ŻOŁĄDEK. CO JA MIAŁEM DO STRACENIA?

BLOCKSPERRE!

TERAZ MOGŁA BYĆ **MOJA KOLEJ**.

TAK JA PRZECZEKAŁEM SZCZĘŚLIWIE CAŁĄ SELEKCJĘ.

JAKA DOBRA DZIEWCZYNKA – WZIĘŁA MÓJ **SPECJALNY** CHLEB. MALA BY NIE ZROBIŁA TAKIEJ DOBREJ KANAPKI.

ŻADNEGO INNEGO CHLEBA NIE BYŁO W DOMU.

CZY KTOŚ CHCE KAWY ALBO HERBATY?

JA SAM SOBIE ZROBIĘ. MAM TOREBKĘ ZE ŚNIADANIA, SUSZY SIĘ NAD ZLEWEM.

JAK SIĘ STAŁEŚ ZNOWU BLACHARZEM?

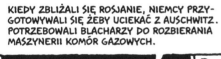

MALA BY MOGŁA WYJŚĆ ZE ZNAJOMYMI NA CAŁY WIECZÓR I NIE UGOTOWAĆ MI NIC DO JEDZENIA ANI DO PICIA.

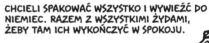

ECH. WIDZICIE JAK TO JEST? JA JESZCZE RAZ W MOIM ŻYCIU MUSZĘ NIEPOTRZEBNIE CIERPIEĆ.

WIĘC JAK TO BYŁO, ŻE WRÓCIŁEŚ DO BLACHARNI?

KIEDY ZBLIŻALI SIĘ ROSJANIE, NIEMCY PRZYGOTOWYWALI SIĘ ŻEBY UCIEKAĆ Z AUSCHWITZ. POTRZEBOWALI BLACHARZY DO ROZBIERANIA MASZYNERII KOMÓR GAZOWYCH.

CHCIELI SPAKOWAĆ WSZYSTKO I WYWIEŹĆ DO NIEMIEC. RAZEM Z WSZYSTKIMI ŻYDAMI, ŻEBY TAM ICH WYKOŃCZYĆ W SPOKOJU.

NIEMCY NIE CHCIELI ANI **ŚLADU** NIGDZIE ZOSTAWIĆ PO TYM WSZYSTKIM CO ROBILI.

TY **SŁYSZAŁEŚ** O GAZOWANIU, ALE JA CI MÓWIĘ NIE PLOTKI, TYLKO TO CO JA SAM **WIDZIAŁEM**.

JA BYŁEM **ŚWIADKIEM NAOCZNYM**.

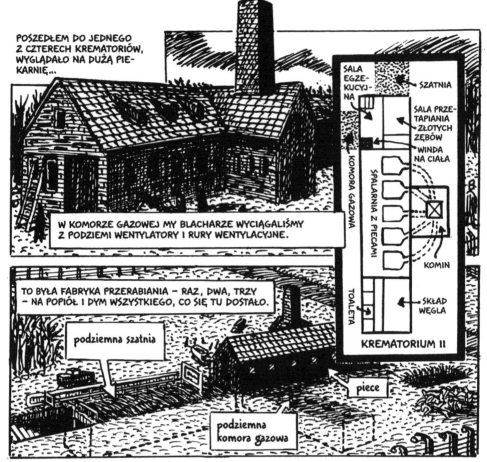

POSZEDŁEM DO JEDNEGO Z CZTERECH KREMATORIÓW, WYGLĄDAŁO NA DUŻĄ PIE-KARNIĘ...

W KOMORZE GAZOWEJ MY BLACHARZE WYCIĄGALIŚMY Z PODZIEMI WENTYLATORY I RURY WENTYLACYJNE.

SALA EGZE-KUCYJ-NA

SZATNIA

SALA PRZE-TAPIANIA ZŁOTYCH ZĘBÓW

WINDA NA CIAŁA

KOMORA GAZOWA

SPALARNIA Z PIECAMI

KOMIN

TOALETA

SKŁAD WĘGLA

KREMATORIUM II

TO BYŁA FABRYKA PRZERABIANIA – RAZ, DWA, TRZY – NA POPIÓŁ I DYM WSZYSTKIEGO, CO SIĘ TU DOSTAŁO.

podziemna szatnia

piece

podziemna komora gazowa

SPECJALNI WIĘŹNIOWIE PRACOWALI TUTAJ OSOBNO, ZA WIĘCEJ CHLEBA, ALE CO PARĘ MIESIĘCY ICH TAK SAMO PUSZCZALI PRZEZ KOMIN. JEDEN Z NICH POKAZAŁ MI DOKŁADNIE JAK TO BYŁO.

DISINFEKTION DEZYNFEKCJE DISINFECTION

LUDZIE **NAPRAWDĘ** MYŚLELI, ŻE TO JEST ŁAŹNIA. TAK JAK IM MÓWIONO.

WCHODZILI DO DUŻEJ SALI, GDZIE MIELI SIĘ ROZEBRAĆ, URZĄDZONEJ, ŻE WIDAĆ, ŻE TO JEST TO, CO IM MÓWILI.

ZAPAMIĘTAJ NUMER SWOJEGO WIESZAKA

PROSZĘ ZWIĄ-ZAĆ BUTY SZNU-RÓW-KAMI

GDYBYM JA TO ZOBACZYŁ PARĘ MIESIĘCY SZYBCIEJ, TO JA BYM TO WIDZIAŁ **PIERWSZY I OSTATNI RAZ.**

I WSZYSCY TŁOCZYLI SIĘ DO ŚRODKA POD PRYSZNICE, DRZWI ZAMYKAŁY SIĘ SZCZELNIE I GASŁO ŚWIATŁO.

Cyklon B, gaz owadobójczy wrzucano w puste kolumny.

WSZYSTKO TRWAŁO OD 3 DO 30 MINUT – W ZALEŻNOŚCI ILE GAZU WPUŚCILI – ALE WKRÓTCE NIKT NIE ZOSTAWAŁ ŻYWY.

NAJWIĘKSZA STERTA CIAŁ LEŻAŁA ZARAZ PRZY DRZWIACH, KTÓRYMI PRÓBOWALI SIĘ WYDOSTAĆ.

TEN GOŚĆ, CO TAM PRACOWAŁ, ON MI MÓWIŁ...

ZGARNIALIŚMY CIAŁA BOSAKAMI. OGROMNE STERTY, NA WIERZCHU CI NAJSILNIEJSI, STARSI I DZIECI ZMIAŻDŻENI POD SPODEM... CZĘSTO MIELI ROZWALONE CZASZKI...

PALCE MIELI POŁAMANE, BO USIŁOWALI WSPINAĆ SIĘ PO ŚCIANACH... A RĘCE CZASEM MIELI DŁUGIE JAK CAŁE CIAŁO, POWYCIĄGANE ZE STAWÓW.

DOSYĆ!

JA JUŻ NIE CHCIAŁEM WIĘCEJ SŁYSZEĆ, ALE ON I TAK MÓWIŁ.

WINDĄ WCIĄGALI CIAŁA NA GÓRĘ DO PIECÓW – BYŁO DUŻO PIECÓW – W KAŻDYM Z NICH PALILI PO 2 ALBO 3 NARAZ.

W TAKIM MIEJSCU ZAKOŃCZYLI MÓJ OJCIEC, MOJE SIOSTRY, MOI BRACIA, TYLE LUDZI.

CO ONI TAM ROBIĄ – CO ONI TAK KOPIĄ? OKOPUJĄ SIĘ PRZED ATAKIEM ROSJAN?

OKOPY – HA! ONI ZAKOPUJĄ CIAŁA. TO SĄ GIGANTYCZNE **GROBY**!...

TO SIĘ ZACZĘŁO W MAJU I POTEM CAŁE LATO ZWOZILI ŻYDÓW Z WĘGIER – NIE MOGLI ICH POMIEŚCIĆ W PIECACH, WIĘC ZACZĘLI KOPAĆ TE WIELKIE DOŁY KREMATORYJNE.

TE DOŁY BYŁY WIELKIE, JAK PŁYWALNIA W NASZYM PINES HOTEL.

PRZYJEŻDŻAŁ POCIĄG ZA POCIĄGIEM, PEŁNE WĘGRÓW.

I CI, CO ICH WYKOŃCZONO W KOMORACH GAZOWYCH ZANIM ICH WRZUCONO DO TYCH MOGIŁ, TO BYLI **SZCZĘŚLIWCY.**

CI INNI MUSIELI SKAKAĆ DO GROBÓW JAK JESZCZE BYLI ŻYWI...

WIĘŹNIOWIE, CO TAM PRACOWALI, POLEWALI ŻYWYCH I MARTWYCH BENZYNĄ.

A TŁUSZCZ WYTAPIAJĄCY SIĘ Z PŁONĄCYCH CIAŁ ZBIERALI I POLEWALI, ŻEBY SIĘ LEPIEJ PALIŁO.

JEZU.

OCH! JUŻ 2:30. ALEŻ TEN CZAS LECI. A DZISIAJ JESZCZE TYLE RZECZY DO ZROBIENIA...

TRZEBA POZMYWAĆ, ROZMROZIĆ NA KOLA-CJĘ, NO I **PIGUŁEK** JESZCZE NIE POLICZYŁEM.

NIE ROZUMIEM... CI ŻYDZI NAWET NIE **PRÓBOWALI** STAWIAĆ OPORU?

TO NIE BYŁO TAK ŁATWO, JAK TY MYŚLISZ. KAŻDY BYŁ TAK WYGŁODNIAŁY I PRZERAŻO-NY, ŻE NIE BYŁ W STANIE NAWET **UWIERZYĆ** W TO, CO MA PRZED OCZAMI.

...BO ŻYDZI TO ZAWSZE ŻYLI NADZIEJĄ. MIELI NADZIEJĘ, ŻE MOŻE ROSJANIE ZDĄŻĄ NADEJŚĆ ZANIM NIEMIECKA KULA ZDĄŻY DOLECIEĆ Z PISTOLETU DO ICH GŁOWY I–

UPS!

KRACH!

O! WIDZICIE SAMI CO JEST Z MOJĄ GŁOWĄ? ZBIŁEM ULUBIONY TALERZ!

TO TYLKO **TALERZ**!... ALE CZEMU NIE CHCIELI PO-CIĄGNĄĆ ZA SOBĄ CHOĆ JEDNEGO HITLEROWCA?

W NIEKTÓRYCH MIEJSCACH **WALCZYLI**... ALE DAŁOBY SIĘ ZABIĆ NAJWYŻEJ JED-NEGO NIEMCA, ZANIM ONI WYKOŃCZĄ STU PRZED TOBĄ. I **WSZYSCY** BY ZGINĘLI.

...A W TEN SPOSÓB I **TAK** WSZYSCY GINĘLI, NA?

NIE WYRZUCAJ TEGO! JA JESZCZE DAM RADĘ SKLEIĆ TEN TALERZ.

TERAZ MOŻE POZMYWAM NACZYNIA.

NIE. MOŻESZ NAJWYŻEJ ROZMROZIĆ INDYKA... TYLKO BYŚ MI WYTŁUKŁ RESZTĘ MOICH TALERZY.

Tej samej nocy...

UFF. JUŻ WRESZCIE ZASNĄŁ.

ZDUMIEWAJĄCE JAK TRUDNO SPĘDZIĆ Z NIM CAŁY DZIEŃ. Z NIEGO PO PROSTU EMANUJE CIĄGŁE NAPIĘCIE.

BIEDAK. GORZEJ Z NIM NIŻ ZWYKLE. PEWNIE TO Z POWODU MALI...

NIE, ON ZAWSZE TAKI JEST... I TO BYŁ RACZEJ POWÓD, DLA KTÓREGO OD NIEGO ODESZŁA.

MYŚLISZ, ŻE ONI SIĘ ZE SOBĄ POGODZĄ?

NO, MAM NADZIEJĘ, BO INACZEJ ODPOWIEDZIALNOŚĆ ZA NIEGO SPADNIE NA NAS, A JA DŁUŻEJ Z NIM NIE WYTRZYMAM.

AAUUUUUAAA!

C-CO TO ZA HAŁAS?

OCH, NIC – TO TYLKO WŁADEK...

ZNOWU JĘCZY PRZEZ SEN. JAK BYŁEM MAŁY, TO MYŚLAŁEM NAWET, ŻE WSZYSCY DOROŚLI WYDAJĄ TAKIE DŹWIĘKI, KIEDY ŚPIĄ.

AAUU

ACH, TAKA PIĘKNA, CICHA NOC... AŻ PRAWIE TRUDNO UWIERZYĆ, ŻE AUSCHWITZ W OGÓLE MIAŁO MIEJSCE.

MHM, NO. AU!

KLAP

ALEŻ TO PRZEKLĘTE ROBACTWO ZJE MNIE ŻYWCEM!

MNIE TEŻ.

PSZT

CHODŹMY DO ŚRODKA POCZYTAĆ... ZRESZTĄ ZACZYNA SIĘ ROBIĆ CHŁODNO.

ROZDZIAŁ TRZECI

Tak więc...

PRZEPRASZAM, ŻE TAK NA CIEBIE NAKRZYCZAŁEM...

TAK. ŚCIANY SĄ TAKIE CIENKIE, ŻE SĄSIEDZI WSZYSTKO SŁYSZĄ.

NAPRAWDĘ, OBOJE MARTWIMY SIĘ O CIEBIE TERAZ, KIEDY MALA ODESZŁA, ALE NIE MOŻESZ PRZECIEŻ OCZEKIWAĆ, ŻE WPROWADZIMY SIĘ TU NA STAŁE...

JAKIE NA STAŁE? JA CHCĘ WAS TU TYLKO PRZEZ LATO... WSZYSTKO ZAPŁACONE, ZWROTÓW NIE BĘDZIE.

JAK SOBIE DASZ RADĘ CAŁKIEM SAM W DOMU W REGO PARK?

WIERZCIE MI, SAMEMU TO MI DUŻO ŁATWIEJ NIŻ BYĆ Z MALĄ.

SIADŹMY Z PRZODU WSZYSCY W TRÓJKĘ.

WIESZ... DZIŚ W NOCY CZYTAŁEM O AUSCHWITZ...

RAZ WIĘŹNIOWIE PRACUJĄCY W KOMORACH GAZOWYCH ZBUNTOWALI SIĘ. ZABILI TRZECH SS-MANÓW I WYSADZILI KREMATORIUM.

TAK. ZA TO WSZYSTKICH ICH ZABILI.

A CZTERY MŁODE DZIEWCZYNY, CO IM SZMUGLOWAŁY AMUNICJĘ, TO JE POWIESILI ZARAZ KOŁO MOJEGO WARSZTATU.

ONE BYŁY DOBRE KOLEŻANKI ANDZI, Z SOSNOWCA. DŁUGO, DŁUGO, DŁUGO TAM WISIAŁY, ECH.

JESZCZE PARĘ MIESIĘCY I NIE MUSIAŁYBY WISIEĆ...
WTEDY W AUSCHWITZ JUŻ BYŁO BARDZO BLISKO KOŃCA.

SŁYSZYSZ TO, WŁADEK? FRONT JEST NIE DALEJ JAK TRZY-DZIEŚCI KILOMETRÓW...

ŻEBY JESZCZE TYLKO TROCHĘ UDAŁO SIĘ PRZEŻYĆ, NIEDŁUGO TU BĘDĄ ROSJANIE.

TEN CHŁOPAK PRACOWAŁ W BIURZE I ZNAŁ PLOTKI.

NIEMCY SĄ ZANIEPOKO-JENI. TUTEJSZE SZYSZ-KI JUŻ SĄ W DRODZE POWROTNEJ DO RZESZY.

PLANUJĄ ZABRAĆ STĄD WSZYSTKICH DO OBOZÓW W GŁĘBI NIE-MIEC. WSZYSTKICH!

ALE KILKU Z NAS MA SWÓJ PLAN... NIE POJEDZIEMY!

!

TY MASZ ZNAJOMYCH W OBOZOWEJ PRALNI. ZDOBĄDŹ NAM CYWILNE CIUCHY I PRZYŁĄCZ SIĘ.

SZYBKO MNIE WZIĄŁ NA PODDASZE JEDNEGO Z BLOKÓW.

TA SALA NIE JEST UŻYWANA. JAK SIĘ ZACZNIE EWAKUACJA, NASZA SIÓDEMKA PRZYJDZIE SIĘ TU UKRYĆ.

ZORGANIZOWALIŚMY TAM UBRANIA I NAWET DOKUMENTY, I ODKŁA-DALIŚMY TAM PÓŁ CODZIENNEJ RACJI CHLEBA.

NA OSTATNI APEL JUŻ NIE WYSZLIŚMY, TYLKO POSZLIŚMY NA PODDASZE.

GESTAPO Z WRZASKIEM ZAGANIAŁO LUDZI. KAŻDY DOSTAŁ CAŁY CHLEB, KIEŁBASĘ I KOPNIAKA ZA BRAMĘ, W KOLUMNĘ MARSZOWĄ.

POTEM PRZYBIEGŁ TEN GOŚĆ Z BIURA...

OKROPNE NOWINY! MUSIMY UCIEKAĆ!

ZARAZ PODPALĄ OBÓZ I RZUCĄ BOMBY NA WSZYSTKIE BLOKI.

PRĘDKO!

W KOŃCU ONI NIE ZBOMBARDOWALI, ALE TEGO TO MY NIE MOGLIŚMY WIEDZIEĆ. W STRACHU POZOSTAWILIŚMY WSZYSTKO, NAWET CYWILNE UBRANIA. I WYBIEGLIŚMY!

BYŁA JUŻ NOC. KAŻDEMU Z NAS DALI KOC I TROCHĘ JEDZENIA NA DROGĘ I WYSZLIŚMY Z AUSCHWITZ, CHYBA Z OSTATNIĄ GRUPĄ.

CAŁĄ NOC SŁYSZAŁEM STRZAŁY. KTO NIE MÓGŁ IŚĆ TAK SZYBKO, ZABIJALI NA MIEJSCU.

JAK WSTAŁ DZIEŃ, W ODDALI ZOBACZYŁEM.

KTOŚ SKACZE, OBRACA SIĘ, KOZIOŁKUJE 25 ALBO 35 RAZY W KÓŁKO. I PRZESTAJE.

JAK BYŁEM CHŁOPCEM, TO NASZ SĄSIAD MIAŁ PSA. DOSTAŁ WŚCIEKLIZNY I GRYZŁ.

TEN PIES TAK SAMO KOZIOŁKOWAŁ. KRĘCIŁ SIĘ W KÓŁKO, WIERZGAŁ, AŻ CAŁKIEM ZAMARŁ.

JEDEN Z CHŁOPAKÓW, CO BYLIŚMY RAZEM NA PODDASZU, ZAGADAŁ DO STRAŻNIKA...

CAŁY DZIEŃ SIĘ PRZYGOTOWYWALI...

NOCĄ BYŁO ZAMIESZANIE. 8 ALBO 9 UCIEKŁO.

245

I TAK DOSZLIŚMY DO GROSS-ROSEN.

TO BYŁ NIEWIELKI OBÓZ, BEZ GAZU.

BYŁO TAM TYSIĄCE WIĘŹNIÓW, KTÓRYCH ŚCIĄGALI ZEWSZĄD W GŁĄB NIEMIEC.

PANOWAŁO ZAMIESZANIE I CIĄGLE BILI. OKROPNOŚĆ!

WY GNOJE TAM! IDŹCIE PO ZUPĘ DO KUCHNI – PO DWÓCH DO KAŻDEGO KOTŁA.

ZAGNALI NAS 20 DO DŹWIGANIA.

WIDZISZ, CO SIĘ DZIEJE. TY SIĘ TRZYMAJ MNIE!

SZYBKO CHWYCIŁEM GOŚCIA JESZCZE SILNEGO, TAK JAK JA.

INNI NIE BYLI W STANIE NAWET UNIEŚĆ. OSŁABLI OD MARSZU I OD GŁODU.

DALEJ! DALEJ!

Z TYŁU SŁYSZAŁEM KRZYKI I WRZASKI. NIE ODWRACAŁEM SIĘ.

WY LENIWE GNOJKI! PATRZCIE JAK CI DWAJ ZASUWAJĄ!

DALI NAM ZA TO EKSTRA PORCJĘ ZUPY. INNI NIE MIELI SZCZĘŚCIA ZACHOWAĆ TYLE SIŁ.

RANO OD NOWA POGONILI NAS W DROGĘ, NIE WIADOMO DOKĄD...

SZLIŚMY PRZEZ MIASTO. BYŁO CAŁKIEM PUSTE, ŻADNYCH CYWILI. I Z DALEKA MY ZOBACZYLIŚMY POCIĄG.

TO BYŁ TAKI POCIĄG DLA KONI, DLA KRÓW.

DALEJ! WŁAZIĆ! WŁAZIĆ!

DOPYCHALI NAS, AŻ JUŻ NIE BYŁO MIEJSCA!

LEŻELIŚMY JEDEN NA DRUGIM, JAK ZAPAŁKI W PUDEŁKU, JAK ŚLEDZIE.

PRZEPCHAŁEM SIĘ W KĄT ŻEBY MNIE NIE ZGNIETLI...

POD SUFITEM BYŁO KILKA HAKÓW. MOŻE OD UWIĄZANIA ZWIERZĄT.

MIAŁEM JESZCZE TEN CIENKI KOC, CO MI DALI.

WSPIĄŁEM SIĘ NA CZYIMŚ RAMIENIU I ZAMOCOWAŁEM GO.

W TEN SPOSÓB MOGŁEM ODDYCHAĆ I ODPOCZĄĆ.

TO MNIE URATOWAŁO. Z TEGO WAGONU NA 200 OSÓB WYŻYŁO MOŻE 25.

247

NO WIĘC POCIĄG JECHAŁ, NIE WIEDZIELIŚMY DOKĄD.

A POTEM ON STANĄŁ.

MIJAŁY DNI, NOCE – I NIC.

BEZ JEDZENIA, BEZ WODY, TYLKO WRZASKI I KRZYKI.

WIDZISZ, LUDZIE ZACZĘLI UMIERAĆ, MDLEĆ...

AJ! MOJA NOGA! PRZESTAŃ! BOLI!

AJJ!

NIE BYŁO MIEJSCA GDZIE UPAŚĆ... A JAK KTO UPADŁ, TO STAWALI NA NIM.

WIĘC ON DZIABAŁ ICH PO NOGACH NOŻEM, ALE ZWYKLE I TAK UMARŁ.

A JAK KTOŚ MUSIAŁ DO UBIKACJI, TO ODDAWAŁ, CO MUSIAŁ, TAM GDZIE STAŁ.

JAK JESZCZE MIAŁ CO JEŚĆ, TO ZJADŁ.

JA TO GŁÓWNIE ZJADAŁEM ŚNIEG Z DACHU.

KTOŚ SKĄDŚ MIAŁ CUKIER. ALE ON PALIŁ.

MOJE GARDŁO! JA MUSZĘ WODY! WODY! DAJCIE MI ŚNIEGU!

ALE JA SIĘGAM TYLKO TĘ TROCHĘ CO DLA SIEBIE!

PROSZĘ! PROSZĘ!! BŁAGAM!

DOBRA, TY DAJ MI CUKRU, A JA CI SIĘGNĘ ŚNIEGU...

TO JA NARAZ I JADŁEM CUKIER, I RATOWAŁEM JEGO ŻYCIE.

POCIĄG STAŁ TAK, BEZ RUCHU, NIE WIEM JAK DŁUGO, MOŻE Z TYDZIEŃ...

AŻ JEDNEGO DNIA OTWORZYLI...

WYRZUCIĆ TE TRUPY I POSPRZĄTAĆ PO SOBIE!

JAK ZMARŁYM ZOSTAŁ CHLEB AL- BO BUTY, MYŚMY SOBIE BRALI...

DOOKOŁA BYŁO PEŁNO POCIĄGÓW, CO STAŁY OD TYGODNI BEZ OTWARCIA, I TAM WSZYSCY JUŻ NIE ŻYLI...

...IM JUŻ ONE BYŁY NA NIC.

ZAMKNĘLI NAS NA NOWO. MY BYLIŚMY BAR- DZO SZCZĘŚLIWI, ŻE TERAZ MA- MY GDZIE STAĆ.

NOWYCH UMARŁYCH KŁADLIŚMY KOŁO DRZWI. CO DZIEŃ NIEMCY PYTALI: „ILU ZMARŁYCH?" A MY ICH WYRZUCALIŚMY I NIEDŁUGO MIELIŚMY MIEJ- SCE NAWET ŻEBY USIĄŚĆ.

A POTEM POCIĄG ZNOWU RUSZYŁ. JECHAŁ I JECHAŁ... NASTĘPNI Z NAS UMIERALI, A NIEKTÓRZY ZWARIOWALI.

OTWORZYLI, ŻEBYŚMY WYRZUCILI ZMARŁYCH...

JA MUSZĘ STĄD WYJŚĆ! WY-PUŚĆCIE NAS! RATUNKU!

A POTEM ZNOWU STANĄŁ.

EJ WY WSZYSCY! WYŁAZIĆ!

NIE MOGLIŚMY UWIERZYĆ NA WŁASNE OCZY!

PRZECIEŻ TO CZER-WONY KRZYŻ!...

TAK! I DZIEWCZĘTA ROZDAJĄ DLA WSZYSTKICH POSIŁEK – TROCHĘ KAWY I PO KAWAŁKU CHLEBA...

ZAPOMNIELIŚMY JUŻ JAK WYGLĄDA CHLEB. BYLIŚMY BARDZO SZCZĘŚLIWI.

POTEM ZAPĘDZILI NAS NA POWRÓT NA ŚMIERĆ DO POCIĄGU, WIĘC TA PODRÓŻ KONTYNUOWAŁA SIĘ DALEJ...

TERAZ ZE WSZYSTKICH OBOZÓW W EUROPIE ONI NAS ZWOZILI DO WEW-NĄTRZ NIEMIEC.

W POŁOWIE DROGI DOWIEDZIELIŚMY SIĘ, ŻE JEDZIEMY DO DACHAU.

TO BYŁ POCZĄTEK LUTEGO, W 1945. NIE BYŁO CO JEŚĆ I BYŁ OKROPNY TŁOK—

PATRZ JAK JEDZIESZ!

EJ! REKLAMACJE SĄ Z TAMTEJ STRONY, A TY PRZEJECHAŁAŚ.

BUFF!

NO CHODŹCIE. TERAZ PÓJDZIEMY ODDAĆ NASZE SPOŻYWCZE ARTYKUŁY.

ZA NIC! JA TAM NIE PÓJDĘ. NIE BĘDĘ ZWRACAĆ TEJ KUPY POOTWIERANYCH PUDEŁ Z NAPOCZĘTĄ ŻYWNOŚCIĄ.

I O CO TU SIĘ TYLE WSTYDZIĆ? TO JEST TYLKO TO, CO JA NIE MOGĘ ZJEŚĆ. WY TU ZACZEKAJCIE A JA ZAŁATWIĘ.

WIESZ, ZAŁOŻYŁABYM SIĘ, ŻE DZIENNIK ANDZI MIAŁ KARTKI ZAPISANE PO OBU STRONACH...

CO? NIE PAMIĘTAM. CZEMU TAK SĄDZISZ?

NO... BO GDYBY W NIM BYŁY JAKIEŚ PUSTE STRONY, TO WŁADEK BY GO NIGDY NIE SPALIŁ.

AHA... HEJ PO-PATRZ! WIDAĆ GO PRZEZ OKNO!

JEZU. WŁADEK Z KIEROWNIKIEM SKLEPU KRZYCZĄ NA SIEBIE...

A TERAZ KIE-ROWNIK JUŻ SOBIE IDZIE...

A TERAZ WŁADEK RUSZA W ŚLAD ZA NIM...

JAKI WSTYD.

JAKBYM MIAŁA PRZEZ TO WSZYSTKO PRZEJŚĆ, TO WOLAŁABYM SIĘ **ZABIĆ**...

PRZEZ CO? ZWRACANIE ZAKUPÓW?

NIE. PRZEZ TO, CO WŁA-DEK MUSIAŁ PRZEJŚĆ. TO CUD, ŻE OCALAŁ.

ACHA. ALE W PEWNYM SENSIE ON JEDNAK NIE OCALAŁ.

MOŻE **POWINNIŚMY** Z NIM ZOSTAĆ JESZCZE PARĘ DNI. ON POTRZEBUJE POMOCY.

TY CHYBA ŻARTUJESZ?

...TEGO MY MOGLI-BYŚMY NIE PRZEŻYĆ.

HEJ-HO!

WIDZICIE? JA ZWRÓCIŁEM I DALI MI CAŁE NOWE ZAKUPY, ZA SZEŚĆ DOLARÓW PO CENIE TYLKO JEDNEGO!

NIESAMO-WITE!...

...BYLIŚMY PEWNI, ŻE CIĘ Z TEGO SKLEPU WYRZUCĄ!

O CZYM TY MÓWISZ? Z KIEROWNIKA SKLEPU TO JEST DŻENTELMEN...

ON MI POMÓGŁ JAK TYLKO JA MU WYTŁUMACZYŁEM O MOIM ZDROWIU, ŻE MNIE ZOSTAWIŁA MALA I JAK BYŁO W OBOZACH.

OJ! WSIADAJ... JUŻ NIGDY WIĘCEJ SIĘ TU NIE POKAŻĘ.

WRACAMY DO DOMU. MUSZĘ DZWONIĆ DO MOJEGO PRAWNIKA CO DO MALI.

DACHAU... MÓWIŁEŚ, ŻE W TYM OBOZIE PANOWAŁ STRASZNY TŁOK...

TAA... TO BYŁ OBÓZ – **OKROPNY**! DLA MNIE NIESZCZĘŚCIE... MÓWIĘ CI... TU W DACHAU, ZACZĘŁY SIĘ MOJE KŁOPOTY.

POZAMYKALI NAS W BARAKACH, SIEDZIELIŚMY NA SIANIE, TYLKO CZEKAJĄC NA ŚMIERĆ.

W SIANIE BYŁY WSZY...

OD WSZY BRAŁ SIĘ TYFUS.

DO JEDZENIA DAWALI TYLKO CHLEB I ZUPĘ, ALE NAJPIERW MUSIAŁEŚ POKAZAĆ KOSZULĘ...

JAK BYŁY NA NIEJ WSZY, TO NIE DAWALI CI ZUPY. NO, ALE TE WSZY BYŁY **WSZĘDZIE**!

A BOŻE UCHOWAJ, ŻEBY KTOŚ KOGOŚ TRĄCIŁ **WYLEWAJĄC** MU CHOĆ KROPELKĘ ZUPY...

ZARAZ BILI SIĘ ZE SOBĄ, JAK DZIKIE ZWIERZĘTA, AŻ DO POLANIA KRWI.

TY NIE WIESZ, CO TO JEST BYĆ GŁODNYM.

TAM, W DACHAU, JA DOSTAŁEM ZAKAŻENIE NA RĘCE...

STARAŁEM SIĘ ZROBIĆ TO ZAKAŻENIE CORAZ GORSZE...

CHCIAŁEM, ŻEBY WZIĘLI MNIE NA IZBĘ CHORYCH.

CO PARĘ DNI PRZYCHODZILI ZOBACZYĆ KTO JEST CHORY...

TY IDŹ Z NIMI...

BO JA SŁYSZAŁEM, ŻE NA IZBIE CHORYCH, TO JEST RAJ.

POSMARUJ MU RĘKĘ TĄ MAŚCIĄ I OWIŃ BANDAŻEM. POWINNO SIĘ SZYBKO ZAGOIĆ.

TUTAJ JA DOSTAWAŁEM JEŚĆ TRZY RAZY NA DZIEŃ, A NA KAŻDYM ŁÓŻ-KU BYŁO TYLKO DWÓCH CHORYCH.

PRACOWAŁEM NA ILE SIĘ DAŁO JED-NĄ RĘKĄ, ŻEBY MNIE POLUBILI.

TO DZIWNE. POWIN-NO SIĘ JUŻ ZAGOIĆ!

CO DZIEŃ JA DRAŻNIŁEM TĘ RANĘ, ŻEBY ZOSTAĆ DŁUŻEJ.

AJJ!

DOBRA! OTWARŁEM JĄ NA NOWO!

TO MNIE NAPRAWDĘ BARDZO MOCNO BOLAŁO...

ZACZĄŁEM SIĘ BAĆ O TĘ RĘ-KĘ I WOLAŁEM JĄ ZAGOIĆ.

...DO DZIŚ JA MAM NA TYM MIEJSCU BLIZNĘ.

ZE SZPITALA MUSIAŁEM PÓJŚĆ DO NIEDOBREGO BARAKU, GDZIE NAM KAZALI CAŁY DZIEŃ STAĆ NA DWORZE.

PARLEZ-VOUS FRANÇAIS?

CO? NIE...

NIE BYŁO NIC DO JEDZENIA I NIC DO ROBOTY, JAK TYLKO CZEKAĆ NA ŚMIERĆ.

MÓWIĘ PO NIEMIECKU, W JIDYSZ, PO POLSKU I ANGIELSKU.

ANGLAIS?!

DIEU MERCI! JA TEŻ TROCHĘ MÓWIĘ PO ANGIELSKI. JA JUŻ MYŚ- LAŁEM, ŻE ZWARIUJĘ!...

TUTAJ NIE MA INNEGO FRANCUZA, A JA NIE UMIEM NIEMIECKI. JA NIE MIAŁEM DO KOGO POROZMAWIAĆ.

TY JESTEŚ POLSKI ŻYD? TO CZEMU TY UMIESZ ANGIELSKI?

ACH... BO JA ZAWSZE MARZYŁEM ŻE POJADĘ DO AMERYKI.

WIĘC MY ROZMAWIALIŚMY I NAM BYŁO TROCHĘ LŻEJ.

CODZIENNIE TEN FRANCUZ MNIE ODNALAZŁ...

BRR. DZIEŃ DOBRY. DZISIAJ ZNOWU JEST TAK ZIMNO.

PATRZ TUTAJ, PRZYJACIELU. MAM PUDEŁKO!

ON NIE BYŁ ŻYD, WIĘC MU POZWALALI DOSTAĆ PACZKI PRZEZ CZERWONY KRZYŻ.

OD MOJA RODZINA. JA CHCĘ, ŻEBYŚ TY TEŻ COŚ ZJADŁ.

MÓJ BOŻE! SARDYNKI! HERBATNIKI! CZEKOLADA!

ON NALEGAŁ ŻEBY SIĘ ZE MNĄ DZIELIĆ, CO URATOWAŁO MI ŻYCIE.

NOWA ŻYWNOŚĆ DAŁA MI NOWY POMYSŁ...

PSST – CHCE PAN KUPIĆ TABLICZKĘ CZEKOLADY?

CZEKOLADY?! CZY JA WYGLĄDAM NA MILIONERA?

WYMIENIĘ ZA PAŃSKĄ KOSZULĘ.

KOSZULĘ? PAN JESTEŚ WARIAT! ŻEBYM ZAMARZŁ?

NO CHYBA, ŻE PAN DOŁOŻY DZIENNĄ DZIAŁKĘ CHLEBA.

W AUSCHWITZ KOSZULA NIE STAŁA TAK DROGO, ALE TUTAJ NIE BYŁO TOWARU.

WYPRAŁEM TĘ KOSZULĘ BARDZO, BARDZO DOKŁADNIE.

I WYSUSZYŁEM NA DWORZE.

MIAŁEM TO SZCZĘŚCIE ZNALEŹĆ KAWAŁEK PAPIERU...

WIĘC DOKŁADNIE JĄ ZAWINĄŁEM.

WYJMOWAŁEM JĄ TYLKO JAK WOŁALI NA ZUPĘ,...

I OTO KOSZULA BEZ ANI JEDNEJ WSZY!

STARĄ KOSZULĘ CHOWAŁEM W SPODNIE, A POKAZYWAŁEM NOWĄ.

DOBRA.

NO I JA ZARAZ DOSTAWAŁEM JEŚĆ.

JESTEŚ GENIUSZEM, WŁADEK. GENIUSZEM!

FRANCUZOWI POMOGŁEM TEŻ ZORGANIZOWAĆ KOSZULĘ, WIĘC OBAJ ZAWSZE MIELIŚMY ZUPĘ.

ALE ZA KILKA TYGODNI BYŁEM ZA CHORY NAWET ŻEBY JEŚĆ...

DOSTAŁEM CIĘŻKIEJ GORĄCZKI I NIE MOGŁEM SPAĆ. **TYFUS!**

CO NOC LUDZIE Z TEGO UMIERALI.

W NOCY JA MUSIAŁEM SCHODZIĆ DO TOALETY. A KORYTARZ CAŁY CZAS BYŁ ZAWALONY STERTAMI CIAŁ. NIE DAWAŁO SIĘ PRZEJŚĆ.

TRZEBA BYŁO CHODZIĆ PO ICH GŁOWACH, I TO BYŁO OKROPNE, BO TA SKÓRA BYŁA TAKA ŚLISKA, ŻE CZŁOWIEK CZUŁ, ŻE JUŻ PADA. I TAK BYŁO CO NOC.

WIĘC TERAZ MIAŁEM TYFUS, MUSIAŁEM SCHODZIĆ DO TOALETY I MÓWIŁEM SOBIE: „TERAZ JUŻ **MOJA** KOLEJ. TERAZ POLEGNĘ MIĘDZY TYMI TUTAJ I KTOŚ BĘDZIE PO MNIE CHODZIŁ!"

UDAŁO MI SIĘ DOŻYĆ, DO KIEDY ZNOWU PRZYSZLI ZE SZPITALA...

WIELU TO NIE DOŻYWAŁO ŻEBY UMRZEĆ W SZPITALU.

TAM JA LEŻAŁEM, ZA SŁABY ŻEBY CHOĆ SIĘ RUSZYĆ Z ŁÓŻKA DO TOALETY.

PROSIŁEM O POMOC GOŚCI OBOK, ALE ZA PARĘ GODZIN ONI UMARLI I PRZYSZLI NOWI.

DAWALI CHLEB I ZUPĘ, ALE BYŁEM ZA SŁABY, ŻEBY JEŚĆ...

WIĘC CHOWAŁEM MOJE PORCJE POD PODUSZKĘ.

HEJ! TEN TU W ŁÓŻKU MA PEŁNO SUCHEGO CHLEBA.

ZABIERZ... JEMU TO RACZEJ JUŻ SIĘ NIE PRZYDA.

KRZYCZAŁEM, ALE NIE MOGŁEM WYDAĆ GŁOSU.

MMCH MMNN.

BYŁEM ZA SŁABY ŻEBY KRZYCZEĆ...

TO WZIĄŁEM BUT I ZACZĄŁEM GŁOŚNO WALIĆ.

KLAKK KLAKK KLAKK

DOŚĆ TEGO HAŁASU!

MASZ! WEŹ SOBIE TEN SWÓJ CHLEB!

NIE MOGŁEM JEŚĆ, ALE POKROIŁEM NA KAWAŁKI ŻEBY PŁACIĆ ZA POMOC DO TOALETY.

NO... I GORĄCZKA MI OPADŁA. ALE DZIAŁO SIĘ COŚ NOWEGO.

UWAGA!...

KAŻDY, KTO MA SIŁĘ JECHAĆ W PODRÓŻ, USTA-WIĆ SIĘ NA DWORZE...

JEDZIECIE NA WYMIANĘ JEŃCÓW WOJENNYCH, NA GRANICĘ SZWAJCARSKĄ.

CZY JA TYLKO ŚNIŁEM?!

PASOWAŁO IM WYSŁAĆ CHORYCH, ALE NIE AŻ TAK, ŻEBY DOJECHALI MARTWI.

BYŁEM BARDZO SŁABY, ALE ZA CHLEB MIA-ŁEM DWU KOLEGÓW, CO MI POMOGLI.

JAK MNIE PUŚCILI CHOĆ NA CHWILĘ, TO JA NIE MOGŁEM USTAĆ NA NOGACH.

ALE JEDNAK JA JAKOŚ WYSZE-DŁEM ZA BRAMĘ...

OCH! TO POCIĄG!

I TO BYŁ POCIĄG NIE DLA KRÓW I DLA KONI, ALE PRAWDZIWY POCIĄG PASAŻERSKI – POCIĄG DLA LUDZI!

JA MYŚLAŁEM, ŻE TEN POCIĄG TO JEST DLA GESTAPO, ALE NIE!

I ON ZABRAŁ NAS Z DA-CHAU, W KIERUNKU SZWAJCARII.

A CO BYŁO DALEJ Z TYM FRANCUZEM, CO CI POMÓGŁ?

TAK. TO BYŁ FAJNY FACET...

NIE PAMIĘTAM JAK SIĘ NAZYWA, ALE MIESZKA W PARYŻU... PRZEZ CAŁE LATA WYMIENIALIŚMY LISTY PO ANGIEL-SKU, JAK GO NAUCZYŁEM.

A CZY TY ZACHOWA-ŁEŚ KTÓRYŚ Z TYCH LISTÓW?

OCZYWIŚCIE, ŻE TAK. ALE JE WYRZUCIŁEM WTEDY, RAZEM Z ZESZYTAMI ANDZI.

WSZYSTKIE TE RZECZY O WOJNIE, JA CHCIA-ŁEM WYRZUCIĆ Z MOJEJ GŁOWY NA ZAWSZE... AŻ TY MI TO **ODBUDOWAŁEŚ** TWOIMI PYTANIAMI.

?!

HEJ?! NA CO TY STAJESZ FRANÇOISE? JESZCZE NIE JESTEŚMY PRZY DOMU.

KTOŚ MACHA RĘKĄ...

AUTOSTOPER? EJ! PRZECIEŻ TO MURZYN, TO SZWARCER!

DOBRY.

NOGA W GAZ! NO, DALEJ!

260

DZIĘKI. STRASZNIE GORĄCY DZIEŃ NA SPACER.

MÓJ BOŻE! CO SIĘ STAŁO JEGO ŻONIE? CZY ONA **ZGŁUPIAŁA?***

* TE SŁOWA WŁADEK WYPOWIADA PO POLSKU.

MÓJ KUZYN MIESZKA NIEDALEKO STĄD.

PSIA KREW! CHOLERA! TO NIEMOŻLIWE. A **SZWARCER** SIEDZI TU ZE MNĄ!*

* WŁADEK ZNÓW MÓWI PO POLSKU.

DZIĘKI WIELKIE. POWODZENIA.

CO SIĘ TOBIE **DZIEJE**, FRANÇOISE? TY POGŁUPIAŁAŚ, CZY CO?!

JA TYLKO CAŁY CZAS MUSIAŁEM PATRZEĆ, ŻEBY TEN SZWARCER NIE UKRADŁ NASZE ZAKUPY Z TYLNEGO SIEDZENIA!

CO?!

TO JEST **OBURZAJĄCE!** JAK MOŻESZ, WŁAŚNIE TY BYĆ TAKIM RASISTĄ! MÓWISZ O CZARNYCH, TAK JAK HITLEROWCY MÓWILI O ŻYDACH!

ACH!...

JA MYŚLAŁEM, FRANÇOISE, ŻE TY JESTEŚ NAPRAWDĘ MĄDRZEJSZA...

PRZECIEŻ SZWARCERÓW DO ŻYDÓW TO SIĘ NAWET NIE DA **PORÓWNAĆ!**

Z powrotem w Rego Park. Późną jesienią...

ZAWSZE OSZCZĘDZAŁEM...

OSZCZĘDZAŁEM, TAK ŻEBY POTEM MIEĆ COŚ NA STAROŚĆ.

NO I STAROŚĆ JEST, I TYLKO POPATRZ CO JA TERAZ MAM...

MAM BUTLĘ Z TLENEM I JESTEM TAKI SŁABY NA SERCU I CUKRZYCĘ, ŻE JUŻ NIE MOGĘ ŻYĆ SAM NA SAM.

JA MAM TU TYLE MIEJSCA. TY I FRANÇOISE MOŻECIE SOBIE ZAMIESZKAĆ TU ZE MNĄ, WCALE BEZ CZYNSZU.

NIE! TO W OGÓLE NIE WCHODZI W GRĘ.

NO TO JAK JA MAM ŻYĆ, ARTIE... TY MI POWIEDZ! ŻEBY IŚĆ DO DOMU STARCÓW. TO NIE JEST DLA MNIE.

MOŻESZ WZIĄĆ PIELĘGNIARKĘ NA STAŁE. STAĆ CIĘ NA TO.

A CO BY SĄSIEDZI NA TO POWIEDZIELI, ŻE U MNIE TUTAJ MIESZKA KOBIETA!

CO?? NO TO WEŹ SOBIE PIELĘGNIARZA!

BLE! TY I MALA, WY NIE MACIE POJĘCIA, JAK ZAROBIĆ PIENIĄDZE, TYLKO CO ROBIĆ, ŻEBY ZNIKŁY!

JAK DAM DLA MALI 100 000 DOLARÓW NA JEJ NAZWISKO, WTEDY ONA WRÓCI TUTAJ MIESZKAĆ. I TO TY MI RADZISZ?

RÓB JAK CHCESZ.

TYLKO JA NIE WIEM NA CO SIĘ **ZDECYDOWAĆ**... MOŻE JA ZNAJDĘ NA TWÓJ POKÓJ LOKATORA, CO MOŻE SIĘ MNĄ OPIEKOWAĆ.

ACHA, NO, MOŻE TAK...

NO... CHODŹ! TRZEBA WNIEŚĆ I POZAKŁADAĆ OKIENNICE.

CHOLERA. JA LICZYŁEM, ŻE MI DZIŚ JESZCZE POOPOWIADASZ...

POMÓWIMY MOŻE **POTEM**, ALE **TERAZ** JEST ZIMNO. BEZ SZCZELNYCH OKIEN, JA TRACĘ PIENIĄDZE NA OGRZEWANIE.

ECH.

W INNYCH LATACH JA **JUŻ** O TEJ PORZE MIAŁEM OKIENNICE. BEZ **ŻADNEJ** POMOCY.

SŁUCHAJ... ZROBIĘ TO, ALE NAJPIERW OPOWIEDZ MI JESZCZE O ANDZI.

ANDZIA? CO TU MÓWIĆ? WSZĘDZIE, GDZIE JA PATRZĘ, WIDZĘ ANDZIĘ,...

PRZEZ TO ZDROWE OKO, CZY PRZEZ TO SZKLANE, CZY MAM OTWARTE, CZY ZAMKNIĘTE, JA ZAWSZE MYŚLĘ O ANDZI.

EE, CHODZI MI O DACHAU. CO WTEDY BYŁO Z ANDZIĄ?

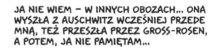

JA NIE WIEM – W INNYCH OBOZACH... ONA WYSZŁA Z AUSCHWITZ WCZEŚNIEJ PRZEDE MNĄ, TEŻ PRZESZŁA PRZEZ GROSS-ROSEN, A POTEM, JA NIE PAMIĘTAM...

ALE JAK ANDZIA OCALAŁA?

MAŃCIA – TA WĘGIERKA, CO JĄ ZNAŁEM TAM, W AUSCH-WITZ – ONA TRZYMAŁA ANDZIĘ BLISKO SIEBIE.

PO WOJNIE JA WSZĘDZIE SZUKAŁEM MAŃCI, ŻEBY JĄ ŁADNIE WYNAGRODZIĆ, ALE NAWET NIE ZNAŁEM JEJ NAZWISKA, NO I NIE ZNALAZŁEM!

MAMA WSPOMINAŁA O RAVENSBRÜCK. CZY BY-ŁA TAM RAZEM Z MAŃCIĄ?

TAK... MO-ŻE TO BY-ŁO TAM...

WIEM TYLKO, ŻE ANDZIA WYSZŁA NA WOLNOŚĆ NA ROSYJSKĄ STRONĘ I WRÓ-CIŁA DO SOSNOWCA PRZEDE MNĄ MOJE UWOLNIENIE BYŁO PÓŹNIEJ...

JA OPUŚCIŁEM DACHAU W OSTAT-NIE MINUTY WOJNY...

JECHAŁEM NA WYMIA-NĘ JEŃCÓW NAD SZWAJ-CARSKĄ GRANICĘ. ALE MY TAM JUŻ NIGDY NIE DOJECHALIŚMY.

KAŻDY DOSTAŁ PUDEŁKO SKARBÓW OD SZWAJCARSKIEGO CZER-WONEGO KRZYŻA: SARDYNKI! HERBATNIKI! CZEKOLADA!

NIEKTÓRZY OD RAZU ZJEDLI WSZYSTKO. JA, OCZYWIŚCIE, ODŁOŻYŁEM NA POTEM.

NO WIĘC W NOCY PRÓBOWALI MI UKRAŚĆ...

HEJ!

NA MÓJ TYFUS JA POTRZEBOWAŁEM DUŻO ODPOCZĄĆ, ALE TEN SKARB DLA MNIE ZNACZYŁ WIĘCEJ NIŻ ŻEBY SPAĆ.

WSZYSCY WYCHODZIĆ! PIĄTKAMI MARSZ!

TU BYŁ KONIEC NASZEJ JAZDY.

STĄD MIELIŚMY IŚĆ PIESZO DO GRANICY...

I ZOBACZYŁEM, ŻE MOJE PIEKŁO NIE JEST WSZĘDZIE. CIĄGLE DZIEJE SIĘ ZWYKŁE ŻYCIE.

SZLIŚMY. STANĘLIŚMY. STALIŚMY **GODZINAMI.**

(CO SIĘ DZIEJE?)

(BIORĄ NAS Z POWROTEM DO DACHAU!)

(NIE, NIE. TO AMERYKANIE NADCHODZĄ.)

BYŁY PLOTKI I SZEPTY. A POTEM OKRZYKI:

WOJNA SKOŃCZONA!

BYŁ KONIEC.

Z POWROTEM NA TORY MARSZ! SCHNELL!

NIE PUŚCILI NAS, TYLKO ZAPAKOWALI W TOWAROWE WAGONY.

W NASTĘPNYM MIEŚCIE SĄ AMERYKANIE. NIECH SOBIE WAS BIORĄ.

I Z NAMI NIE POJECHALI STRAŻNICY. NAPRAWDĘ WIDZIELIŚMY, ŻE TO KONIEC.

ZA PÓŁ GODZINY TEN POCIĄG STANĄŁ.

JEDNI POSZLI TU, A INNI TAM...

PO TROCHU POZBIERALI NAS WSZYSTKICH UWOLNIONYCH, MOŻE 150 A MOŻE 200 LUDZI, W LESIE NAD DUŻYM JEZIOREM...

PILNOWALI ŻEBYŚMY NIE UCIEKLI.

268

JAK SIĘ ZROBIŁO POD WIECZÓR, JA PODSZEDŁEM NA SAM BRZEG WODY...

WŁADEK SZPIGEL-MAN! CZY TO TY?!

SZIWEK! TO TY ŻYJESZ!

SZIWEK TO BYŁ ZNAJOMY SPRZED WOJNY, Z BĘDZINA KOŁO SOSNOWCA.

PRZETRWALIŚMY TO WSZYSTKO TYLKO PO TO, ŻEBY ZGINĄĆ W CHWILI ZAKOŃ-CZENIA WOJNY!

MAM JESZCZE TRO-CHĘ ZORGANIZOWA-NEJ KAWY. WYPIJMY SOBIE OSTATNI KUBEK.

TAM! BRAĆ GO!

PLUSK

JEDEN STARSZY GOŚĆ, KOŁO PIĘĆ-DZIESIĄTKI, SKOCZYŁ W JEZIORO. MIAŁ DALEKO DO PŁYNIĘCIA.

KBANG! KBANG!

UDAŁO MU SIĘ! A TY MASZ SIŁĘ ŻEBY SPRÓBOWAĆ?

TYLKO TRZYMAJ SIĘ BLISKO WODY. ZAWSZE MOŻEMY SPRÓBOWAĆ, JAK SIĘ ZACZNIE STRZELANIE.

I PRZYSZŁA NOC. BYLIŚMY W OKROPNYM STRACHU. SIEDZIELIŚMY I CZEKALI.

W PŁAKANIU I W MODLITWACH. TYLE MY PRZETRWA-LIŚMY, A TERAZ TYLKO CZEKALIŚMY NA STRZAŁY, BO I CO BYŁO ROBIĆ.

A RANKIEM MY WSZYSCY WCIĄŻ
BYLIŚMY ŻYWI.

ONI ZNIKNĘLI!

TO CUD! NIE ZOSTA-
ŁO ANI JEDNEGO
NIEMCA – TYLKO
SAME KARABINY!

CO TO
SIĘ
STAŁO?

LEŻAŁEM KOŁO NAMIOTU
GŁÓWNEGO DOWÓDCY
– KŁÓCIŁ SIĘ ZE SWOJĄ
DZIEWCZYNĄ.

ONA GO BŁAGAŁA, ŻEBY NAS PUŚCIŁ.
OSTRZEGAŁA, ŻE BĘDZIE UKARANY.

„WOJNA SKOŃCZONA", WOŁAŁA.
„UCIEKAJMY". ONA NAS URATOWAŁA!

JEDNI POSZLI TU, A INNI TAM.

MOŻE W KTÓRYMŚ Z GOSPO-
DARSTW DADZĄ NAM JEŚĆ.

HALT!

NA DRODZE STAŁ NASTĘP-
NY PATROL DO WYŁAPY-
WANIA ŻYDÓW.

WIĘC MIELIŚMY OD NOWA TO SAMO. ZŁAPALI NAS 40 CZY 50
I ZAMKNĘLI DO DUŻEJ STODOŁY.

CAŁĄ NOC SŁYSZELIŚMY NAOKOŁO W GÓRACH STRZELANIE...

KPOK KPOK KPOK

A STRAŻNICY – ONI WSZYSCY POUCIEKALI!

WIĘC NA NASTĘPNE RANO MY ZNOWU BYLIŚMY WCIĄŻ ŻYWI!

CHODŹ, SZIWEK. POSZUKAJMY SOBIE UKRYCIA, ZANIM SIĘ USPOKOI.

SZLIŚMY KOŁO GARAŻU, TO JA PODSZEDŁEM...

PROSZĘ PANA, POTRZEBUJEMY SIĘ SCHOWAĆ ZANIM NIE PRZYJDĄ AMERYKANIE.

IDŹCIE SOBIE! JA NIE CHCĘ SIĘ MIESZAĆ!

LITOŚCI! TYLKO NA DZIEŃ LUB DWA!...

NO... TAM Z TYŁU JEST DÓŁ. JAK CHCECIE TAM SIEDZIEĆ, TO NIE MOJA SPRAWA, JA NIC NIE WIEM!

MINĄŁ JEDEN DZIEŃ I PRZYJECHAŁO DWÓCH Z WEHRMACHTU.

HEJ! KTÓRĘDY NA INNSBRUCK?

TAM, PANIE OFICERZE.

ALE CHWILECZKĘ – DWÓCH ŻYDÓW SIĘ UKRYWA TAM Z TYŁU!

UCIEKALI W TAKIM POŚPIECHU, ŻE ANI NIE POPATRZYLI NA NAS.

JA SAM POSZEDŁEM DO PUSTEGO DOMU.

EOCHE MLEKO!

PIŁEM DŁUGO, SAM NIE WIEM KIEDY PRZESTAŁEM!

MÓWIŁEM, ŻE JEST BEZPIECZ- NIE. PRZYNIO- SŁEM CI MLEKA!

MLEKO!

OBAJ WYPILIŚMY ZA DUŻO MLEKA I ROZEJRZELIŚMY SIĘ.

OO! KURCZAKI!

SZIWEK, TO ON BYŁ ZE WSI. CODZIEN- NIE ZABIJAŁ DLA NAS KURCZAKA I DOIŁ KROWĘ.

WPROST MARZYŁEM O KURCZAKACH!

GDAAAK!

PATRZ! NA GÓRZE ZNALAZŁEM UBRANIA, MOŻEMY WYRZUCIĆ NASZE PASIAKI!

NO! ZACZYNAM SIĘ ZNOWU CZUĆ CZŁOWIEKIEM!

JA TEŻ! TYLKO EULPE JEST MI N-NIEDOBRZE...

PRZECIERPIELIŚMY KILKA DNI, AŻ PRZY- SZLI AMERYKANIE...

RĘCE DO GÓRY! POKAZAĆ DOKUMENTY!

NASZE BRZUCHY PRZESZŁY SZOK OD TEGO MLEKA I KURCZAKÓW. NO I DO- STALIŚMY BIEGUNKI.

OPOWIEDZIAŁEM WSZYSTKO, JAK MY OCALELIŚMY...

...A Z DACHAU POCIĄGIEM PRZYJECHALIŚMY DO—

BANG! BANG! AJ!

TO TYLKO MOI LUDZIE SYGNALIZUJĄ, ŻE ZNALEŹLI SKŁAD NIEMIECKIEJ AMUNICJI.

SZKOPY JUŻ WAM NIE ZROBIĄ ŻADNEJ KRZYWDY. ZOSTALI TYLKO MARTWI ALBO UMIERAJĄCY.

W TYM DOMU BĘDZIE KWATERA NASZEGO DOWÓDZTWA...

WY, CHŁOPAKI, MOŻECIE CHYBA ZOSTAĆ, O ILE BĘDZIECIE NAM SPRZĄTAĆ I ŚCIELIĆ ŁÓŻKA.

CHCECIE CZEKOLADY?

DZIĘKUJĘ, M-MOŻE PÓŹNIEJ.

WIĘC PRACOWALIŚMY DLA AMERYKANÓW. LUBILI MNIE, ŻE UMIAŁEM ANGIELSKI.

DZIĘKI ZA TEN GLANC, WILLIE.

DROBIAZG, SIERŻANCIE. NAWET NIE MA SPRAWY.

DAWALI NAM PUSZKI I PREZENTY I WOŁALI DO MNIE „WILLIE".

RAZ PRZYSZŁA TAM KOBIETA RAZEM
Z FUNKCJONARIUSZAMI.

ARESZTUJCIE TYCH
ŻYDÓW ZŁODZIEI!

ONI UKRADLI
UBRANIA MO-
JEGO MĘŻA!

NAWET NIE **WIEDZIELIŚMY**,
CZYJE CIUCHY BIERZEMY!

BAN-
DYCI!

MUSICIE JEJ TO
WSZYSTKO ODDAĆ,
WILLIE.

„A NIECH SOBIE
BIERZE", JA NA TO.
„MAMY JESZCZE
3 PEŁNE KUFRY!"

ACH! KTÓRA TO GODZINA!
MUSIMY SIĘ **SPIESZYĆ**
Z MOIMI OKIENNICAMI.

ALE ZANIM ZAPOMNĘ –
MAM TU PUDEŁKO Z CZYMŚ,
CO CIĘ ZAINTERESUJE.

MYŚLAŁEM, ŻE
ZGINĘŁO, ALE TY
WIDZISZ, JAK JA
ODKŁADAM!

DZIEN-
NIKI
MAMY?!

NIE, NIE! O NICH TO JUŻ
WCALE NIE MA MOWY.
PRZEPADŁO. **SKOŃCZONE!**

ALE NA DOLE MOJEJ SZAFY
ZNALAZŁEM TE ZDJĘCIA,
CZĘŚĆ JESZCZE Z POLSKI.

DZIĘKI.

CHODŹ. SOBIE
OGLĄDNIESZ PO
OKIENNICACH!

CZY TO
WUJEK
HERMAN?

TAK, TO BYŁ ANDZI **NAJSTARSZY** BRAT. PROWADZIŁ W ŁODZI RODZINNĄ FABRYKĘ TEKSTYLNĄ.

Herman i Hela, Łódź 1928

W 1939 OBOJE Z HELĄ PRZYJECHALI NA WYSTAWĘ ŚWIATOWĄ I **ZOSTALI** TU CAŁĄ WOJNĘ. W 1950 — TY BYŁEŚ W PIELUCHACH — MY TEŻ PRZYJECHALIŚMY TU DO NICH ZE SZTOKHOLMU.

JA WOLAŁEM **ZOSTAĆ** W SZWECJI — ZNOWU ZACZĄŁEM DOBRY INTERES — ALE ANDZIA, ONA **NALEGAŁA**, ŻEBY ZOSTAĆ Z JEDYNYMI KREWNYMI, CO PRZEŻYLI Z CAŁEJ RODZINY.

OJ, A JAK HERMAN ZGINĄŁ POTRĄCONY PRZEZ SAMOCHÓD W 1964 TO JUŻ ANDZIA ZACZĘŁA TEŻ PO TROCHU UMIERAĆ.

Herman, Norristown, PA 1957

A TU JEST ICH DWÓJKA DZIECI, LOLEK I LONIA, CO NA WOJNĘ ZOSTALI U **NAS**, W SOSNOWCU.

LOLEK, WIESZ, TEN CO WY-SZEDŁ **ŻYWY** Z AUSCHWITZ, Z NIEGO JEST DZIŚ INŻYNIER I WAŻNY PROFESOR NA COLLEGE'U.

A TA MAŁA, ONA SKOŃCZYŁA W GETCIE RAZEM Z RYSIEM.

Lolek i Hela 1946

TEN ANDZI BRAT, JÓZEF, ON MALOWAŁ SZYLDY, ARTYSTA KOMERCJALNY. ZAWSZE MÓWIŁA, ŻE JES-TEŚ PODOBNY JAK ON.

Józef, Łódź 1934

276

TE ZDJĘCIA DOSTALIŚMY OD GUWERNANTKI RYSIA, POLKI.

DALIŚMY JEJ NASZE KOSZTOWNOŚCI DO PRZECHOWANIA PRZEZ WOJNĘ.

ALE ONA POTEM POWIEDZIAŁA: „CAŁE KOSZTOWNOŚCI ZAGRABILI NIEMCY".

MY W TO NIE UWIERZYLIŚMY, ALE PRZYNAJMNIEJ TE ZDJĘCIA ODDAŁA.

MOGĘ JE ZA- BRAĆ DO DOMU?

TAK. TO DLA CIEBIE. TYLKO JE PRZEŁOŻĘ DO KOPERTY...

PUDEŁKO OD CYGAR PRZY- DA MI SIĘ DO—

AKCH!

ΞUFFΞ TY WIDZISZ! MÓJ NITROSTAT ZARAZ MI POMA- GA. ALE ZA DUŻO GADAŁEM. POŁOŻĘ SIĘ TROCHĘ.

EE... A CO Z TYMI OKIENNI- CAMI?

SAM TO TY NIE BĘDZIESZ UMIAŁ JAK, A TERAZ JA JESTEM ZMĘCZONY. MOŻE MY JUTRO TO ZROBIMY.

NIEMOŻLIWE. JESTEM ZAJĘTY! PRZYJADĘ ZNOWU ZA TYDZIEŃ.

ACH. WIĘC MU- SIMY TERAZ ZAŁOŻYĆ. JA ZARAZ— ΞANNFΞ

PIĘKNIE — ZAFUNDUJ SOBIE KOLEJNY ATAK SERCA! SŁUCHAJ, ZAPŁACISZ JESZCZE PRZEZ TYDZIEŃ TE PARĘ GROSZY WIĘCEJ ZA OGRZEWANIE I TYLE.

ΞECHΞ

EE — PRZEPRA- SZAM, ŻE CIĘ ZMUSZAŁEM ŻE- BYŚ TYLE MÓWIŁ.

NIE, NIC NIE SZKO- DZI, KOCHANIE. ZAWSZE JEST MIŁO, JAK TY TU JESTEŚ.

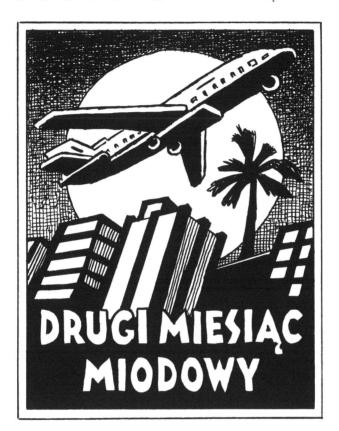

ROZDZIAŁ PIĄTY

DRUGI MIESIĄC MIODOWY

Zima...

ROBIĘ KAWĘ, CHCESZ?

I POWIEDZIAŁA: NIE PÓJDĘ DO ICH KOMÓR GAZOWYCH. I MOJE **DZIECI** TEŻ NIE PÓJ—

KLIK

ALEŻ TAK!

WIESZ, MAM TU NA TAŚMIE PONAD 20 GODZIN OPOWIEŚCI WŁADKA. JUŻ PRAWIE **KOŃCZYLIŚMY**, A ON NAGLE UCIEKŁ NA FLORYDĘ.

ANI RAZU NIE ZADZWONIŁ. TROCHĘ SIĘ MARTWIĘ...

MALA TEŻ TAM POJECHA-ŁA. MOŻE SIĘ SPOTKALI I POZABIJALI.

WŁAŚCIWIE TO MYŚLĘ, ŻE TA ICH WOJNA TRZYMA GO PRZY ŻYCIU. OD KIEDY ONA ODESZŁA, WPADŁ W DZIWNĄ KOMBINACJĘ BEZRADNOŚCI I MANIAKALNEJ ENERGII.

CO MY Z TYM WŁADKIEM ZROBIMY? CO JAK CO, ALE PRZEPROWADZKA DO REGO PARK JEST WYKLUCZONA!

MOŻE ON MÓGŁBY SIĘ WPROWADZIĆ TU DO NAS.

ZWARIOWAŁAŚ? JEGO SERCE NIE WYTRZYMA WCHODZENIA NA CZWARTE PIĘTRO. CO JEST GŁÓWNĄ ZALETĄ TEGO MIEJSCA.

JAK BY SIĘ ZGODZIŁ TO BY DOPIERO BYŁO!

TO JUŻ... TWOJA SPRAWA... TO **TWÓJ** OJCIEC.

PRZESTAŃ! MAM JUŻ DOŚĆ POCZUCIA WINY!

ŚWIETNIE. TO JUŻ ZAŁATWIA WSZYSTKO.

ACH, ŻEBY SIĘ TAK ONI Z MALĄ POGODZILI I ZNÓW ZACZĘLI SIĘ NAWZAJEM UNIESZCZĘŚLIWIAĆ.

"I MOJE **DZIECI** TEŻ NIE PÓJDĄ DO ICH KOMÓR GAZOWYCH". WIĘC TOSIA WZIĘŁA TRUCIZNĘ, ALE NIE TYLKO SAMA, BO DAŁA TEŻ NASZEMU MAŁEMU—

KLIK

DRYŃ DRYŃ!

HALO. MALA?! A MY AKURAT... HE? CO? A CO SIĘ STAŁO?

JA JUŻ W OGÓLE NIE WIEM, CO MAM ROBIĆ! TWÓJ OJCIEC JEST W SZPITALU ST. FRANCIS.

KLIK

?

WODA W PŁUCACH – TO JUŻ TRZECI RAZ W TYM MIESIĄCU! NIE CHCIAŁ, ŻEBY WAS NIEPOKOIĆ, ALE TO JEST **POWAŻNE**!

OJEJ, SKĄD DZWONISZ?

TU JESTEM, U NAS NA FLORYDZIE. ЕUHUЕ ZNÓW Z NIM JESTEM CHOĆ BÓG WIE NA CO!

SŁUCHAJ, JA ODDZWONIĘ, JAK SIĘ DODZWONIĘ DO SZPITALA.

HALO, ST. FRANCIS? CZY MOGĘ ROZMAWIAĆ Z PANEM SZPIGELMANEM?... TO WASZ PACJENT... CO?... NA PEWNO?

HALO, MALA? W SZPITALU MÓWIĄ, ŻE NIKOGO TAKIEGO TAM NIE MA.

JA WIEM... ON WŁAŚNIE TU STOI W DRZWIACH!

UCIEKŁ ZE SZPITALA WBREW RADOM LEKARZA. MÓWI, ŻE ON NIE UFA TYM LEKARZOM TUTAJ... TO JAKIŚ **OBŁĘD**. ON WYGLĄDA JAK CIEŃ CZŁOWIEKA!

ON CHCE DO SZPITALA W NOWYM JORKU. MYŚLĘ, ŻE WOLI BYĆ BLIŻEJ WAS, JAKBY SIĘ COŚ – NIE DAJ BOŻE – STAŁO! NIE DAJĘ RADY. PRZYJEDŹ MI POMÓC!

ЕOCHЕ

HEJ! MALA! WSZYSTKO JUŻ PRAWIE **SPAKOWANE**. A JA TU PRZYLECIAŁEM GŁÓWNIE ŻEBY **POMÓC**!

PHI! ZNASZ DOBRZE WŁADKA. KOŃMI GO NIE UTRZYMASZ NA MIEJSCU – ALE TERAZ JEST WYCZERPANY, A I JA TEŻ.

ЁOCHЁ

CZEŚĆ, TATO. JAK TAM?

OKROPNIE. SŁABO MI... SŁABO MI...

ZAŁATWIŁEŚ BUTLĘ TLENOWĄ NA JUTRO DO SAMOLOTU?

MHM. A NA LOTNISKU KENNEDY'EGO BĘDZIE CZEKAĆ KARETKA, KTÓRA ZAWIEZIE GO DO SZPITALA. JA GO ZAREJESTRUJĘ, A FRANÇOISE ZAWIEZIE CIĘ DO DOMU.

JAK WYŚCIE SIĘ ZESZLI Z POWROTEM?

NIE WIEM. DZWONIŁ ZE SZPITALA I ZROBIŁO MI SIĘ GO ŻAL. WIĘC POJECHAŁAM.

PRZYSIĘGAŁAM, ŻE JUŻ GO NIE ZOBACZĘ, ALE JA JESTEM NAIWNA. MÓWIŁ DO MNIE, AŻ POSINIAŁAM NA CAŁEJ TWARZY... NO I JESTEM.

MALA, MALA! CHODŹ TUTAJ!

ANDZIA MUSIAŁA BYĆ **ŚWIĘTA**! NIC DZIWNEGO, ŻE SIĘ ZABIŁA.

ON CIĘ WOŁA.

CHODZI TYLKO O JEGO **STOLEC**. CHCE ŻEBYM GO SPRAWDZIŁA, ZANIM SPUŚCI WODĘ. KAPRYSI JAK ZAWSZE.

TYLKO TERAZ JEST BARDZIEJ ZAGUBIONY I BEZRADNY... CO JA MAM ZROBIĆ? ON MNIE **UWIĘZIŁ**.

Nazajutrz rano...

NARESZCIE! NO, GOTOWE!

TAK. GODZINA NA PAKOWANIE I NASTĘPNE **CZTERY** DLA WŁADKA NA PRZEPAKOWYWANIE!

KRĘCI MI SIĘ W GŁOWIE. CHODŹMY NA POWIETRZE.

IDŹCIE SAMI. JA MUSZĘ ZADZWONIĆ DO BRATA, ŻEBY SIĘ POŻEGNAĆ.

EUCH WŁAŚNIE TUTAJ, KILKA LAT TEMU, WYSZEDŁEM PO BAJGLE DLA MALI. ZAKRĘCIŁO MI SIĘ W GŁOWIE, TAK SAMO JAK DZIŚ, I JA UPADŁEM...

POCZOŁGAŁEM SIĘ NA BOK, ŻEBY BYŁO **WIDAĆ**, ALE ŻEBY MNIE NIE **DEPTALI**. W KOŃCU KTOŚ MI POMÓGŁ.

OCH, MIŁO POCZUĆ TROCHĘ SŁOŃCA.

TAK. TYLKO ZA DUŻY TU HAŁAS OD AUTOSTRADY I OD LOTNISKA. **PATRZ**, ARTIE! WIDZISZ TEN MALUTKI SAMOLOT NA NIEBIE?...

MHM.

NA **TAKIM** MALUTKIM SAMOLOCIE UCIEKLIŚMY W 1946 Z POLSKI DO SZWECJI. BYŁO NAS MOŻE 10...

NIGDY PRZEDTEM NIE LATALIŚMY NA SAMOLOCIE. INNI BALI SIĘ LECIEĆ, ALE JA POSZEDŁEM PROSTO DO ŚRODKA...

POWIEDZIAŁEM IM „CO SIĘ MARTWIĆ. **NAJWYŻEJ** SAMOLOT SPADNIE – ALE PRZYNAJMNIEJ BĘDZIEMY POZA POLSKĄ!"

CZEMU UCIEKA-LIŚCIE Z POLSKI?

PHI! TAM JUŻ DLA NAS PO WOJNIE **NIC** NIE BY-ŁO DO SZUKANIA. NIC.

TUTAJ CHCIELIŚMY PRZYJECHAĆ, DO HERMANA, ALE TU BYŁY **KONTYN-GENTY**, WIĘC HERMAN ZAŁATWIŁ NAM SZWEDZKĄ WIZĘ, NA PRZECZEKANIE.

TY TAM PRACO-WAŁEŚ?

I TO **JAK** CIĘŻ-KO JA TAM PRA-COWAŁEM...

CAŁY DZIEŃ NOSIŁEM CIĘŻKIE SKRZYNIE. DLA UCHODŹCÓW BYŁA TYLKO **TAKA** PRACA.

ALE JA WTEDY BYŁEM **SILNY**, NIE TAK JAK TE-RAZ... I TEŻ SZUKAŁEM JAKIŚ **LEPSZY** INTERES.

WŁAŚCICIEL DOMU TOWAROWEGO BYŁ ŻYD. POSZEDŁEM DO NIEGO...

PRÓBUJĘ SIĘ Z PANEM ZO-BACZYĆ JUŻ OD **TYGODNI**!

PANIE SZPIGELMAN – MY **NIE POTRZEBUJEMY** JUŻ POŚREDNIKÓW!...

POZA TYM PAN NIE BARDZO ZNA SZWEDZKI!

MÓWILIŚMY W JIDYSZ.

W POLSCE HANDLOWAŁEM DZIEWIAR-STWEM, ALE MOGĘ SPRZEDAĆ **WSZYSTKO**!

DAJ MI PAN COŚ, CZEGO NIKT NIE SPRZEDA – PROSZĘ TYLKO O **SZANSĘ**!

DZIEWIARSTWO? HMM... MAMY CAŁY MAGAZYN ZAWALONY NIEMODNYMI PODKOLANÓWKAMI, KTÓRYCH **NIKT**–

ŚWIETNIE!

W USA WUJEK HERMAN ZNOWU MIAŁ FABRYKĘ TEKSTYLNĄ. JA OD NIEGO SPROWADZIŁEM PEŁNEJ DŁUGOŚCI POŃCZOCHY Z **NYLONU**.

TAKICH **NIE MOŻNA** BYŁO W SZWECJI ZNALEŹĆ.

CHCE PAN KUPIĆ MOJE NYLONY?

PANIE! KLIENTKI DAŁYBY SIĘ **ZABIĆ** ZA NIE. TOWAR REGLAMENTOWANY!

PO ILE?

CENA NORMALNA, ALE DO KAŻDEJ PARY MUSI PAN DOKUPIĆ PARĘ MOICH PODKOLANÓWEK.

POWYRZUCAM JE, ALE I TAK MI SIĘ TO **OPŁACI!**

I JA WYPRZEDAŁEM CAŁY TEN TOWAR.

I TAK JA STAŁEM SIĘ JAK **PARTNER** DLA TEGO DOMU TOWAROWEGO. POWODZIŁO MI SIĘ.

JAK PARĘ LAT POTEM PRZYSZŁY NASZE AMERYKAŃSKIE WIZY, DOM TOWAROWY URZĄDZIŁ WIELKIE PRZYJĘCIE.

JESZCZE MOŻECIE PODRZEĆ BILETY I ZOSTAĆ TUTAJ!

BON VOYAGE

NAPRAWDĘ ŻAL MI BYŁO JECHAĆ.

W STANACH ZAROBIŁEM NA ŻYCIE HANDLEM DIAMEN- TAMI, ALE JUŻ NIGDY MI SIĘ TAK NIE POWODZIŁO.

ECH. CHODŹ. PÓJDZIEMY DO ŚRODKA.

ALE **CZEMU?** JESZCZE MNÓSTWO CZASU.

ZA DUŻO **SŁOŃCA.** MOŻE, JAK NIE ZAPAKOWAŁEŚ MOJE **CIEMNE OKULARY,** TO SOBIE **WRÓCIMY.**

Późnym wieczorem tego samego dnia...

PROSZĘ POZOSTAĆ NA MIEJSCACH AŻ POKŁAD OPUŚCI CHORY PASAŻER...

=OCH=

J.F.K.

NO WIĘC ODLOT OPÓŹNIA SIĘ JUŻ 6 GODZIN. **WTEDY** WŁADEK OŚWIADCZA, ŻE BUTLA TLENOWA NIE DZIAŁA I ŻE NIE MOŻE ODDYCHAĆ.

ZAŁOGA SPRAWDZA TLEN, MÓWIĄ, ŻE DZIAŁA...

MÓWIĄ, ŻE ON JEST ZBYT CHORY, ŻEBY LECIEĆ, ALE MY NIE CHCEMY WYSIĄŚĆ. WŁADEK OŚWIADCZA, ŻE TLEN DZIAŁA. I OTO JESTEŚMY!

DOBRZE, ŻE ZADZWONIŁEŚ, ŻE MACIE OPÓŹNIENIE.

Z RACJI OPÓŹNIENIA UDOSTĘPNILI DARMOWY TELEFON. MALA OBDZWONIŁA WSZYSTKICH ZNAJOMYCH W STANACH.

WIDZISZ? JA **UCZĘ** SIĘ OD WŁADKA!

Po pół godzinie...

NARESZCIE! FRANÇOISE I MALA SĄ JUŻ DAWNO W DOMU. PRZECIEŻ TO ONE MOGŁY NAS ODWIEŹĆ DO SZPITALA.

NIE MARTW SIĘ, TEN KURS POKRYWA MOJE UBEZPIECZENIE.

PRZEPRASZAM. ON JEST CHORY, ALE NIE AŻ TAK, ŻEBY KŁAŚĆ GO NA NOSZE.

TO PRZEPISY, KOLEGO.

KTÓRĘDY DO SZPITALA LA GUARDIA?

ACH! JEDŹ PAN NA QUEENS, A POTEM PROSTO I W PRAWO.

DZIĘKI... ALE PROSZĘ, NIECH PAN NIE WSTAJE Z NOSZY.

288

Szpital La Guardia...

ŻIEWŻ DŁUGO TO JESZCZE POTRWA?

BADANIA JUŻ ZROBIONE. MOŻE PAN POCZEKAĆ NA LEKARZA TAM W ŚRODKU ŻOJCEM.

JAK SIĘ CZUJESZ, TATO?

ŻOOCHŻ ZMĘCZONY... ZMĘCZONY...

PRZEPRASZAM, ŻE TO TAK DŁUGO TRWAŁO, ALE PO TYM CO PAN MÓWIŁ O STANIE OJCA, DLA UPEWNIENIA ZROBILIŚMY DOKŁADNE BADANIA...

PIGUŁKI, KTÓRE ZAPISALI MU NA FLORY-DZIE, KONTROLUJĄ WODĘ W PŁUCACH, A JEGO SERCE WYDAJE SIĘ CAŁKOWICIE W PORZĄDKU...

PEWNO UCIESZY PANA WIADOMOŚĆ, ŻE MOŻE GO PAN ZABRAĆ DO DOMU!

ŻE CO?!

EE. JEŚLI SĄ JAKIEŚ WĄTPLIWOŚCI, TO MOŻE LEPIEJ ZATRZYMAĆ GO TROCHĘ NA OBSERWACJĘ.

NIE MA ŻAD-NEGO POWODU ŻEBY GO HOS-PITALIZOWAĆ.

NO, DOKTOR MÓWI, ŻE JESTEŚ W PO-RZĄDKU. MOŻEMY JECHAĆ DO DOMU.

TAK? NO TO MAŁA I JA ZOSTANIEMY DO KOŃCA ROKU TU, W REGO PARK.

LEPIEJ JAK NIC MI NIE JEST TU, OBOK MOJEGO SZPITALA REJONOWEGO, NIŻ TAM, NA FLORYDZIE, KOŁO SZPITALA PO SETKI DOLARÓW ZA DZIEŃ!

Po mniej więcej, miesiącu...

Panel 1:
ARTIE, NIE BYŁO CIĘ TU CAŁE WIEKI.

MUSIAŁEM DOJŚĆ DO SIEBIE PO NASZEJ PODRÓŻY Z FLORYDY... CO NOWEGO?

Panel 2:
NO, WIĘC SPRZEDAJEMY TEN DOM I PRZENOSIMY SIĘ NA FLORYDĘ.

WŁADEK SIĘ ZGADZA? DZIWNE. JEST TAKI PRZYWIĄZANY DO TEGO MIEJSCA.

Panel 3:
A JAK ON SIĘ CZUJE?

ZROBIŁ SIĘ **APATYCZNY**. DZIĘKI TEMU MOŻE ŁATWIEJ GO ZNIEŚĆ, ALE W SUMIE NIE JEST Z NIM NAJLEPIEJ.

Panel 4:
WSZYSTKO MU SIĘ MYLI. KIEDY TYDZIEŃ TEMU POSZEDŁ DO BANKU PO PROSTU **ZABŁĄDZIŁ** W DRODZE DO DOMU!... TERAZ JEST TAM I ODPOCZYWA.

Panel 5:
A WIĘC ZAMIERZACIE SPRZEDAĆ DOM...

JA TYLKO CHCĘ SPOKÓJ. MALA CHCE NA FLORYDĘ, NIECH BĘDZIE NA FLORYDĘ.

Panel 6:
USIĄDŹ. NIE SPODZIEWAŁEM SIĘ CIEBIE!

JAK TO? PRZECIEŻ WCZORAJ DZWONIŁEM I MÓWIŁEM CI, ŻE PRZYJADĘ.

Panel 7:
DZWONIŁEŚ? JA NIC NIE PAMIĘTAM...

PRZYJECHAŁEM NAGRAĆ RESZTĘ TWOJEJ HISTORII, CZUJESZ SIĘ NA SIŁACH?

Panel 8:
MUSZĘ WIEDZIEĆ, CO SIĘ DZIAŁO JUŻ POD SAM KONIEC WOJNY...

WOJNA – TAK, TO JA JESZCZE PAMIĘTAM.

BYŁEŚ NA FARMIE Z JA-KIMIŚ AMERYKANAMI...

TAK. RAZEM Z KOLEGĄ, Z SZIWKIEM.

I CO SIĘ WY-DARZYŁO?

WSZĘDZIE SIĘ ZROBIŁO PEŁNO UCHODŹCÓW...

WIĘC PRZYSZEDŁ ROZKAZ...

SZTAB ORGANIZUJE OBÓZ DLA UCHODŹCÓW. BĘDZIECIE MUSIELI SIĘ TAM PRZENIEŚĆ.

ZEBRALI NAS WSZYSTKICH W GARMISCH-PARTENKIRCHEN.

NAZWISKO?

WŁADEK SZPIGELMAN.

KRAJ POCHODZENIA?

POLSKA...

TUTAJ NAM DALI DOKUMENTY I MIEJSCE GDZIE SIĘ PODZIAĆ...

HEJ, WŁADEK, JEDŹ ZE MNĄ DO HANOWERU, DO MOJEGO BRATA. ON SIĘ TAM OŻENIŁ Z GOJKĄ, KTÓ-RA GO PRZECHOWYWAŁA. ON—

AU!

CO SIĘ STAŁO?

NIE WIEM, SZIWEK. MAM GORĄCZKĘ I WSZYSTKO MNIE SWĘDZI – GARDŁO, USZY, WSZĘDZIE! WSZYSTKO!

AJ!

ŁADNYCH PARĘ DNI BYŁEM BARDZO CHORY.

G-GDZIE JA JESTEM?

NA SALI CHORYCH. MIAŁ PAN NAWRÓT TYFUSU.

CZUJĘ SIĘ JUŻ DOBRZE.

NIECH PAN REGULARNIE CHO-DZI DO LEKARZA. NIE WIEM CO, ALE COŚ TU JEST NIE TAK.

PO ROKU OKAZAŁO SIĘ, ŻE TO NIE TYLKO TYFUS, ALE TEŻ CUKRZYCA.

W OBOZIE DIPISÓW JA MIAŁEM ŁATWO...

SZYBKO, WŁADEK! MOŻNA ZAROBIĆ PARĘ CZEKOLAD!

OKAY! WE SPEAK ENGLISH! OKAY!!

TEN SZIWEK NIE MÓWIŁ NAWET PO POLSKU – TYLKO W JIDYSZ.

MIELIŚMY DUŻO TOWARU, JAK NAM WRESZCIE DALI PAPIERY I ZWOLNILI.

CHCEMY BILETY DO HANOWERU.

BILETY??...

NAWET NIE WIEM, CZY TAM SĄ JAKIEŚ TORY!

TEN TOWAROWY BYĆ MO-ŻE POJEDZIE NA PÓŁNOC.

POCIĄGI STAWAŁY I RUSZAŁY I CZĘSTO MUSIAŁY ZMIENIAĆ KIERUNEK...

PATRZ, SZIWEK – NORYMBERGA.

JAKO JENIEC SZORO-WAŁEM TU ULICE...

TERAZ TO BYŁY TYLKO SAME RUINY.

ZAJECHALIŚMY DO MIASTA WÜRZBURG – ALE RUINA!

ODJEŻDŻALIŚMY SZCZĘŚLIWI.

GDZIE TU-TAJ JEST WODA?

HA! NIE MAMY TU WODY JUŻ OD TRZECH DNI!

AMERYKANIE ZNISZCZYLI ☰SMF☰ WSZYSTKO!

ANI JEDEN BUDYNEK SIĘ NIE OSTAŁ.

NIECH I NIEMCY MAJĄ **TROCHĘ** TEGO, CO SAMI ZROBILI ŻYDOM.

WRESZCIE DOTARLIŚMY DO HANOWERU...

DZIECI POŁOŻYMY W JEDNEJ SYPIALNI, A WY DWAJ MOŻECIE SPAĆ W DRUGIEJ...

A TY WIESZ COŚ O SWOJEJ RODZINIE?

POJADĘ DO POLSKI ZOBACZYĆ, KTO OCALAŁ. UMÓWILIŚMY SIĘ, ŻE JAK NAS ROZŁĄCZĄ, TO SPOTYKAMY SIĘ W SOSNOWCU.

POSŁAŁEM TAM LIST DO ORGANIZACJI ŻYDOWSKIEJ, W SPRAWIE MOJEJ ŻONY. ALE – ONA NIE MOGŁA PRZEŻYĆ... ROK TEMU WIDZIAŁEM JĄ W AUSCHWITZ...

TAKA BYŁA CHUDA... I SŁABA...

MÓGŁBYŚ POPYTAĆ O SWOJĄ RODZINĘ W OBOZIE DIPISÓW W BELSEN. ŻYDZI NAPŁYWAJĄ TAM ZE WSZYSTKICH STRON.

NIE BYŁO DALEKO, WIĘC POJECHAŁEM DO BELSEN NA KILKA DNI. JEDNEGO RANKA PRZYBYŁ CAŁY TŁUM, A W NIM DWIE ZNAJOME DZIEWCZYNY Z SOSNOWCA...

JENNY! SONIA!

PATRZ! TO WŁADEK SZPIGELMAN!

WŁAŚNIE JEDZIEMY Z POLSKI...

LEDWO SIĘ NAM UDAŁO WYDOSTAĆ!...

COKOLWIEK CHCESZ ZROBIĆ, NIE WRACAJ DO SOSNOWCA. POLACY TAM WCIĄŻ ZABIJAJĄ ŻYDÓW!

PAMIĘTASZ GELBERÓW? MIELI W SOSNOWCU WIELKĄ PIEKARNIĘ...

JEDEN Z SYNÓW OCALAŁ I WRÓCIŁ DO DOMU...

CZEGO TY TU CHCESZ?

TO JEST MÓJ DOM RODZINNY. JESTEM GELBER!

MYŚLELIŚMY, ŻE JUŻ HITLER WAS WYKOŃCZYŁ!

ZMYKAJ ŻYDZIE! TERAZ TO NASZA PIEKARNIA!

BAM!

NIE WIEDZIAŁ, CO POCZĄĆ. SPĘDZIŁ NOC W SZOPIE Z TYŁU ZA SWOIM DOMEM...

POLACY GO ZNALEŹLI. POBILI GO I POWIESILI"

...I PO TO ON OCALAŁ.

DRUGI Z NICH WRÓCIŁ Z OBOZU DZIEŃ PÓŹNIEJ I ZOSTAŁ TYLKO TYLE, ŻEBY POCHOWAĆ BRATA...

DOSYĆ!... NIE CHCĘ NIC WIĘCEJ SŁYSZEĆ!

POWIEDZCIE TYLKO, CZY COŚ WIECIE O ANDZI?

WIDZIAŁAM JĄ! NIE UPOMINAŁA SIĘ O SWOJE, TO JĄ POLACY ZOSTAWILI W SPOKOJU.

ANDZIA **ŻYJE!** SERCE MI SKOCZYŁO! NIE MOGŁEM UWIERZYĆ.

ANDZIA BYŁA TAM W SOSNOWCU CAŁKIEM SAMA...

NIE, ANDZIU, ŻADNYCH WIEŚCI...

CO DZIEŃ ONA SPRAWDZAŁA W ORGANIZACJI ŻYDOWSKIEJ I CO DZIEŃ ONA PŁAKAŁA.

POTEM MI MÓWIŁA, ŻE BYŁA U WRÓŻKI...

WIEDZIAŁA, ŻE TO GŁUPIE, ALE SZUKAŁA JAKIEJŚ NADZIEI.

WIDZĘ TRAGEDIĘ... ŚMIERĆ!... STRACIŁA PANI OJCA... MATKĘ... **WSZYSTKICH!**

T-TAK. TYLKO LOLEK, MÓJ BRATANEK, POWRÓCIŁ—

WIDZĘ DZIECKO... MARTWE DZIECKO...

RYSIU! MÓJ MAŁY SYNEK, RYSIU. ≡UHU≡

ZARAZ! TERAZ WIDZĘ MĘŻCZY-ZNĘ... CHOROBA... TO TWÓJ MĄŻ! BYŁ BARDZO, BARDZO CHORY...

ON JEDZIE – ON WRACA DO DOMU! JAK BĘDZIE PEŁNIA, DOSTANIESZ **ZNAK**, ŻE ON ŻYJE!

WIDZĘ STATEK... DALEKIE MIEJSCE... ZACZNIESZ NOWE ŻYCIE... URODZISZ NOWEGO CHŁOPCA.

295

ANDZIA PARĘ RAZY NA DZIEŃ CHODZIŁA DO ŻYDOWSKIEGO BIURA.

ALE ZNAKU ANI ŚLADU.

WIĘC SIEDZIAŁA W DOMU W ROSNĄCEJ DEPRESJI, AŻ...

PUK PUK

ANDZIA! POPATRZ! PRZYSZEDŁ LIST OD TWOJEGO MĘŻA!

JEST W NIEMCZECH... PRZECHODZIŁ TYFUS!

WSZYSTKO JAK MÓWIŁA CYGANKA.

A TUTAJ JEGO **ZDJĘCIE**! MÓJ **BOŻE** – WŁADEK ŻYJE NAPRAWDĘ!

PRZECHODZIŁEM RAZ KOŁO FOTOGRAFA. MIELI TAM PASIAK – NOWY I CZYSTY – DO PAMIĄTKOWYCH ZDJĘĆ...

ANDZIA ZAWSZE PRZECHOWYWAŁA TO ZDJĘCIE. MAM JE **WCIĄŻ** W BIURKU!

EJ! GDZIE TY IDZIESZ?

CHCĘ TO ZDJĘCIE DO MOJEJ KSIĄŻKI!

NIESAMOWITE!

TAK WIĘC, JAK SIĘ DOWIEDZIAŁEM, ŻE ANDZIA ŻYJE, RZUCIŁEM WSZYSTKO, ŻEBY TYLKO WRACAĆ DO SOSNOWCA.

WYMIENIŁEM CAŁY DOBYTEK NA PREZENTY.

PATRZ! MAM FUTRO I KILKA SUKIENEK NA PREZENT DLA ANDZI.

WIESZ, JAK TY POJEDZIESZ DO POLSKI, TO I JA!

POJECHALIŚMY, CZASEM NA PIECHOTĘ, CZASEM POCIĄGIEM.

RAZ POCIĄG STANĄŁ, STAŁ GODZINY ZA GODZINAMI.

DO POLSKI CZĘSTO NIE BYŁO JUŻ ŻADNYCH TORÓW.

ZOSTAŃ TU Z BAGAŻAMI, SZIWEK, A JA PÓJDĘ NAPEŁNIĆ MENAŻKI.

ZAZNACZYŁEM SOBIE NASZ WAGON, ALE JAK PO GODZINIE WRÓCIŁEM, POCIĄG GDZIEŚ ZNIKNĄŁ.

SZIWEK WRÓCIŁ SZUKAĆ MNIE W HANOWERZE...

SZIWEK?!

NIE MOGŁEM JUŻ ZNALEŹĆ KOLEGI, ANI BAGAŻU. ZOSTAŁEM TYLKO Z CIENKĄ KOSZULĄ I Z WODĄ.

...ALE JA POSZEDŁEM PROSTO DO POLSKI. PRZEZ 3-4 TYGODNIE.

JAK JUŻ DOTARŁEM DO SOSNOWCA, ZOBACZYŁEM NAOKOŁO BARDZO MAŁO ŻYDÓW.

ALE ZNALAZŁEM GDZIE JEST ŻYDOWSKA ORGANIZACJA.

BYLI TAM LUDZIE, CO MNIE ZNALI.

PATRZCIE TYLKO! LEĆCIE SZUKAĆ ANDZI! NIECH TU ZARAZ BIEGNIE!

I ZNALEŹLI JĄ...

=ACH=

W-WŁADEK!

TO BYŁ TAKI MOMENT, ŻE WSZYSCY NAOKOŁO PŁAKALI RAZEM Z NAMI.

ANDZIA, ANDZIA, MOJA ANDZIA!

WIĘCEJ NIE MUSZĘ CI MÓWIĆ. BYLIŚMY BARDZO SZCZĘŚLIWI I ŻYLIŚMY DŁUGO I SZCZĘŚLIWIE.

WIĘC JUŻ... PROSZĘ, WYŁĄCZMY TEN MAGNETOFON...

ZMĘCZYŁEM SIĘ OD MÓWIENIA, RYSIU, I CHYBA DOŚĆ JUŻ TYCH OPOWIEŚCI...

SPIEGELMAN

VLADEK
Oct. 11, 1906
Aug 18, 1982

ANJA
Mar. 15, 1912
May 21, 1968

— art spiegelman — 1978-1991